La fin est arriv

La religion de Vincent Drear, quatorze ans, lui a appris une ou deux choses. Premièrement, le monde va cesser d'exister. Deuxièmement, d'ici là, il a deux responsabilités : sauver les âmes et les films de protestation au sujet des jeunes sorciers. Vincent soupçonne que la vie pourrait être en réalité davantage que ce que l'on perçoit généralement et ses soupçons sont confirmés quand il découvre un elfe à la foire des sciences de son école. Malheureusement, l'elfe apprend à Vincent que la religion de sa famille a raison sur un point : la fin du monde arrive — dans quarante-huit heures !

Vincent aimerait sauver le monde, mais quelques obstacles se trouvent sur son chemin — des démons affamés, des elfes peu coopératifs, des sociétés multinationales, le tyran de l'école… Son seul espoir consiste à faire partir sa famille de la Terre avant que les démons n'anéantissent tout, ouvrant la voie à une nouvelle époque.

Mais le plaisir ne fait que commencer.

L'APOCALYPSE

Timothy Carter

Traduit de l'anglais par
Marie-Hélène Therrien

Éditeur : François Doucet
Traduction : Marie-Hélène Therrien
Révision linguistique : Serge Trudel
Correction d'épreuves : Carine Paradis, Nancy Coulombe
Graphisme : Matthieu Fortin
Mise en pages : Sébastien Michaud
Illustration de la couverture : Jonathan Guilbert
ISBN 978-2-89565-737-8
Première impression : 2009
Dépôt légal : 2009
Bibliothèque et Archives nationales du Québec
Bibliothèque Nationale du Canada

Éditions AdA Inc.
1385, boul. Lionel-Boulet
Varennes, Québec, Canada, J3X 1P7
Téléphone : 450-929-0296
Télécopieur : 450-929-0220
www.ada-inc.com
info@ada-inc.com

Diffusion
Canada :   Éditions AdA Inc.
France :   D.G. Diffusion
             Z.I. des Bogues
             31750 Escalquens — France
             Téléphone : 05-61-00-09-99
Suisse :   Transat — 23.42.77.40
Belgique :   D.G. Diffusion — 05-61-00-09-99

Imprimé au Canada

Participation de la SODEC.
Nous reconnaissons l'aide financière du gouvernement du Canada par l'entremise du Programme d'aide au développement de l'industrie de l'édition (PADIÉ) pour nos activités d'édition.
Gouvernement du Québec — Programme de crédit d'impôt pour l'édition de livres — Gestion SODEC.

Catalogage avant publication de Bibliothèque et Archives nationales du Québec et Bibliothèque et Archives Canada

Carter, Timothy, 1972-

[Epoch. Français]
L'apocalypse
Traduction de: Epoch.
Pour les jeunes de 13 ans et plus.

ISBN 978-2-89565-737-8

I. Therrien, Marie-Hélène, 1968-   . II. Titre. III. Titre: Epoch. Français.

PS8605.A778E6614 2009   jC813'.6   C2009-940642-X
PS9605.A778E6614 2009

Introduction

Il s'agit d'une histoire qui porte sur la fin du monde. Il n'est pas question d'un héros qui empêche cette fin d'arriver, cependant. Il y a des héros dans cette histoire, et il y a des méchants. Il y a des créatures fantaisistes et des personnes qui pratiquent la magie. Il y a des batailles, il y a des défaites et il y a des victoires.

Mais faites-moi confiance, cette histoire porte sur la fin du monde tel que nous le connaissons. Il n'y aura pas d'annulation de la fin à la dernière minute, pas de sursis, pas de soupirs de soulagement voulant dire : « Ça alors, nous l'avons échappé belle. »

Ça y est. La fin est arrivée.

Mais le plaisir ne fait que commencer. En gardant cela à l'esprit, allons rencontrer Vincent.

« La planète des voyous viendra, dit la grande fille dans le tricot blanc à col roulé. Et quand cela arrivera, elle nous détruira tous ! »

La fille se tenait derrière une table sur laquelle se trouvait un ballon de basket peint pour ressembler à un monde étranger. Près du ballon, on distinguait un globe terrestre avec plusieurs désastres naturels dessinés au crayon-feutre partout sur sa surface.

Sur le mur derrière elle se voyait placé un grand morceau de bristol sur lequel on apercevait un dessin détaillé de l'orbite d'une planète étrangère. Au-dessus du dessin, en grosses lettres rouges, se lisaient les mots : « Planète des voyous ».

Elle s'appelait Sandra. Elle n'était pas Vincent.

— Ils ont déjà des agents à la Maison-Blanche et au Pentagone, affirma un garçon japonais vêtu d'un tee-shirt sur lequel était imprimé un géant, un robot portant une arme à feu. Et bientôt, lorsque le plus gros de leur flotte arrivera en orbite, ils nous enlèveront en quelques secondes !

Sur la table en face de lui, il avait disposé plusieurs figurines d'action extraterrestres et quelques soucoupes volantes de plastique. Il avait également placé des figurines d'action humaines autour de cet étalage, simplement pour l'effet. Sur le mur derrière lui se trouvaient plusieurs images dessinées avec imagination et qui représentaient des extraterrestres qui anéantissaient l'humanité.

Il s'appelait Pat. Il n'était pas Vincent, lui non plus.

— Le monde va se retrouver dans la glace ! prononça un mince garçon indien. Les schémas du temps changeront et une nouvelle époque glaciaire va consumer la planète.

Il se tenait devant une table jonchée de dessins représentant une température dangereuse, ses explications écrites sous forme de notes. Sur le mur derrière lui, son affiche de carton annonçait : « La prochaine ère glaciaire » en lettres bleues.

Il s'appelait Vijay. Lui non plus n'était pas Vincent.

En fait, la plupart des jeunes qui présentaient leur projet à la dixième foire des sciences annuelle de l'école secondaire Woodlaw n'étaient pas Vincent. Il y avait deux Michael, quatre John et quelques Jennifer, mais un seul parmi eux était Vincent.

Vincent Drear se trouvait derrière son étalage, dans le coin le plus éloigné du gymnase de l'école, juste à côté de la grosse machine distributrice de boissons à l'orange. Il portait des jeans délavés, usés, les mêmes que sa mère avait essayé de jeter deux fois auparavant. Ses baskets étaient vieux et crasseux, loin de ressembler aux élégants souliers cirés que ses parents avaient voulu qu'il porte, et son t-shirt était lâche et ample. Ses vêtements ne semblaient pas très impressionnants, mais ils se révélaient confortables. Vincent appréciait les vêtements confortables. Ils l'aidaient à composer avec des situations qu'il trouvait embarrassantes, comme les baskets qu'il avait quand les personnes ont vu son étalage.

Sur la table en face de Vincent, il avait mis plusieurs prospectus et tracts de l'église de ses parents. Il avait également des petites statues de Jésus-Christ, de Moïse et d'Abraham, le saint triumvirat. Vincent les avait placées autour d'un petit globe, près d'une enseigne verticale où l'on pouvait lire : « L'acte de purification ».

Pendant que les autres étudiants se levaient et criaient leurs prophéties de condamnation, Vincent était avachi sur sa chaise et il espérait qu'on ne le remarquerait pas.

— Tu espères que personne ne va te remarquer, n'est-ce pas ? dit le gros Tom, la plus petite personne de toute l'école. Il portait une chemise blanche boutonnée jusqu'en haut de son cou et des pantalons de velours côtelé rouges qui s'avéraient abominables à regarder. Le gros Tom s'assit sur deux ou trois manuels scolaires placés sur un tabouret et malgré cela, il pouvait à peine voir par-dessus sa table.

— Tu sais que les juges viendront ici éventuellement, rappela le gros Tom à son ami.

Vincent hocha la tête, mais sans rien dire. Ses yeux étaient fixés sur son frère aîné, Max, qui distribuait des prospectus pris sur la table de Vincent à quiconque voulait en prendre un. Max était un grand garçon, vêtu sévèrement d'une chemise rouge et d'une cravate. Ses cheveux étaient coupés et peignés impeccablement, et ses yeux bleus ne pouvaient être décrits autrement que comme des yeux perçants.

Tandis que Max fourrait les brochures dans les mains, il prêchait avec la dernière des énergies, déterminé qu'il était à sauver au moins une âme à la foire des sciences.

La famille de Vincent était triumvirale, une nouvelle branche du christianisme qui avait surgi assez récemment sur la place du marché spirituelle. Les personnes triumvirales croyaient que les trois personnages de la Bible — Jésus, Moïse et Abraham — s'étaient unis afin de produire un texte qui expliquait clairement la version définitive du plan divin de Dieu pour l'Univers.

Ce texte était le *Livre triumviral*, découvert trente années plus tôt à l'intérieur d'une caverne à l'extérieur de Jérusalem. Il parlait des temps funestes à venir, quand les démons erreraient sur la Terre, répandant les mensonges et la déception. Seul le Triumvirat pouvait montrer aux gens le vrai chemin et les sauver d'une éternité dans le feu.

Vincent n'avait pas demandé — ou voulu — l'aide de son frère. Et il n'avait vraiment pas voulu faire une démonstration pour la religion de sa famille. Il pensait que toute cette histoire de Triumvirat n'était que foutaises, bien qu'il fût assez malin pour garder ces pensées pour lui-même.

Vincent tourna la tête et regarda le spectacle du volcan sur la table du gros Tom. Les deux amis avaient passé une semaine à le fabriquer avec du papier mâché, et aux yeux de Vincent, il avait l'air formidable. Bien sûr, c'était lui qui l'avait peint. Il était gris, la couleur universelle des vieilles roches ordinaires, avec des coulées de lave rouge et du brun pour les arbres à mi-chemin vers le bas. Le cône au sommet avait dix centimètres de largeur et il se voyait rempli de bicarbonate de soude. Sur la table, près du volcan, se trouvait une bouteille de vinaigre qui réagissait avec le bicarbonate de soude pour produire un effet volcanique.

Sur le mur derrière le gros Tom se distinguait une affiche où l'on pouvait lire : « La calamité volcanique ». Vincent avait proposé le titre qui, à ses oreilles, semblait bien mieux que « Les volcans vont causer la fin du monde un jour avec leur fumée épaisse ».

Du point de vue de Vincent, les volcans n'allaient pas anéantir le monde. Ils pourraient modifier la température, bien sûr — il se souvenait de l'hiver extrêmement long qu'ils avaient eu quelques années auparavant, lorsqu'un volcan au Pérou avait déchargé la valeur de trois montagnes de cendres dans l'atmosphère. Toutefois, l'idée qu'un volcan puisse envoyer assez de cendres dans le ciel pour mettre fin à toute vie sur la planète n'était pas très probable.

Une apocalypse volcanique se révélait plus probable, toutefois, que le saint Triumvirat descendant du ciel et annonçant la fin. Malheureusement pour Vincent, c'était exactement ce qu'il était censé dire.

— Ne penses-tu pas que c'est bizarre, dit Tom soudainement, que tout le monde ait fait quelque chose par rapport à la fin du monde, cette année ?

— L'école a décidé que ce devrait être ce thème, expliqua Vincent, les yeux fixés une fois de plus sur son frère. Nous devions faire ce qu'ils ont dit.

— Eh bien, oui, agréa le gros Tom. Mais ne penses-tu pas que c'est étrange qu'ils aient choisi cela pour thème ? Je veux dire, c'est plutôt morbide.

Vincent fit un signe affirmatif de la tête. Il ne pensait pas du tout que c'était bizarre, cependant. L'école se montrait simplement en accord avec la dernière mode.

Tout le monde parlait de la fin des temps, ces temps-ci. Cela paraissait être venu de nulle part, comme pour la plupart des modes, mais après deux ans, cela avait atteint une sorte de permanence. Il n'y avait pas une semaine qui passait sans qu'il n'y ait la découverte d'un nouvel astéroïde qui pouvait nous heurter ou d'un nouveau groupe terroriste pouvant faire apparaître la bombe sur la scène mondiale. Les météorologues désignaient des phénomènes météorologiques étranges et les déclaraient le début de quelque chose de bien plus sinistre.

Et de plus, il y avait les sectes religieuses. Aucune d'elles ne s'appelaient elles-mêmes secte, bien sûr. Elles préféraient l'expression « la seule vraie croyance ». Chaque jour, semblait-il, un membre de la vraie croyance voyait son nom écrit dans le journal en organisant une sorte de marche, rassemblement ou protestation. Ils se regroupaient parfois à l'extérieur du bureau d'un docteur ou de la maison d'un politicien qui était prochoix. Ils se rassemblaient souvent à une librairie, à un cinéma ou à n'importe quel autre endroit où des images ou des actes mauvais se trouvaient exposés.

Et bien sûr, toutes les sectes prêchaient que la fin du monde était proche. Toutefois, aucune ne défendait ce message de façon plus enthousiaste que les triumviraux. La famille de Vincent l'avait entraîné à trois rassemblements de la Fin-des-Temps depuis le commencement du trimestre scolaire, et il ne les avait pas appréciés du tout.

Vincent n'avait pas eu à faire beaucoup de travail pour son projet — toutes les brochures et affiches qu'il utilisait traînaient partout dans la maison. Pour cela, et cela seul, Vincent était content de la religion de sa famille. Avec tout le monde chez lui qui voulait préparer son projet pour lui, il avait eu beaucoup de temps pour aider le gros Tom avec son volcan.

— Vincent, les juges s'en viennent ! souffla le gros Tom. Qu'est-ce que je fais ?

Vincent roula les yeux. Un bon ami, Tom l'était plus que certainement. Un garçon intelligent, certainement pas.

— Utilise les notes que je t'ai données quand ils poseront des questions, recommanda Vincent, tapotant un des papiers sur la table du gros Tom. Puis, lorsqu'ils voudront une démonstration, verse un peu de vinaigre sur le bicarbonate de soude.

— Je me souviens de cette partie, indiqua le gros Tom, saisissant la bouteille de vinaigre. C'est seulement que… tu vas m'aider, n'est-ce pas ?

— Tu parles, rassura Vincent. Détends-toi. C'est seulement une foire des sciences.

— Ouais, reconnut le gros Tom, mais je veux gagner !

— Tu ne gagneras pas, annonça Vincent. Et moi non plus. Barnaby Wilkins va gagner. Il gagne tout le temps.

Le gros Tom n'avait rien à répondre à cela. Ils regardèrent tous les deux la table, au centre du gymnase, qui se situait devant une grande affiche sur un panneau d'affichage où l'on pouvait lire : « Complot du gouvernement » en grosses lettres rouges. Derrière cette table se trouvait un grand garçon maigre vêtu d'une chemise et d'un tricot avec un col en V kaki. Il ne correspondait pas avec l'image typique du tyran de l'école, mais Vincent et le gros Tom savaient trop bien que cette apparence extérieure était trompeuse.

Sur la table en face de Barnaby, deux ordinateurs portables présentaient un diaporama d'images doté d'effets sonores et d'une narration provenant de deux grands haut-parleurs placés de chaque côté. L'accompagnement musical assourdissant était, de l'avis de Vincent, un peu exagéré.

Mais il ne s'agissait pas du meilleur de l'affaire. Les deux gardes du corps de Barnaby, Bruno et Boots, se trouvaient de chaque côté de Barnaby, jetant un regard mauvais à ceux qui passaient par là. Vêtus de costumes noirs et de lunettes fumées, ils brandissaient les badges d'allure officielle et articulaient d'un ton sec un dialogue qui ressemblait à : « C'est de l'information classée secrète ! » ou « Vous en avez trop vu ! » à quiconque se donnait la peine d'écouter.

— Tu dois admettre, soupira Vincent, qu'il sait comment organiser un spectacle.

Le père de Barnaby, Francis Wilkins, était riche. Il n'était pas le genre de riche qui disait : « Achetons la statue de la Liberté pour l'anniversaire de Barnaby », mais il possédait plus qu'assez et un peu plus encore. Il était l'un des cadres supérieurs de la société Alphega, une des compagnies les plus grandes et les plus rentables au monde, et son poste payait bien, très bien. Chaque année, il faisait tout son possible et ne regardait pas à la dépense pour s'assurer que les projets de son fils correspondent aux meilleurs qui puissent être. Cela rendait tous les autres jeunes jaloux et cela faisait toujours se pâmer les juges.

— Eh bien, qu'avons-nous ici ? demanda l'un des juges alors qu'ils arrivaient à la table du gros Tom. Il était petit, trempé de sueur et chauve, et sentait vaguement le fromage.

— C'est… eh bien, mon projet porte sur les volcans, expliqua le gros Tom.

— Est-ce que c'est ce que c'est censé être ? interrogea un autre juge, tapotant le côté du volcan. Je pensais qu'il s'agissait d'une cheminée ou de quelque chose du genre. Il était grand, mince et il souffrait d'un début de calvitie, avec des lunettes si épaisses qu'elles rendaient ses yeux ridiculement énormes.

— C'est un volcan, indiqua Vincent, jetant un regard mauvais aux adultes irréfléchis qui avaient osé déprécier sa création.

— Nous allons te l'accorder, mon gars, prononça le juge à l'odeur de fromage.

— Alors, demanda à Tom la troisième juge, tu estimes que les volcans vont dominer le monde, hein ? Elle possédait un corps en forme de poire, avec une minuscule poitrine au-dessus de ses grosses cuisses et de son énorme derrière. Elle avait bien trop de maquillage sur le visage et ses doigts longs et chétifs ressemblaient à des pattes d'araignée.

— Hum, heu… eh bien, oui ! C'est mon projet ! avoua le gros Tom, regardant frénétiquement Vincent pour que celui-ci lui vienne en aide.

Vincent soupira, puis mima avec les mains l'idée de volcans en éruption et faisant jaillir tellement de cendre dans l'atmosphère que le soleil serait obscurci et que la planète gèlerait. Il y parvenait vraiment. Vous pouvez mimer tout ce que vous voulez avec vos mains si vous essayez.

— Heu… alors, ces volcans vont entrer en éruption, débuta le gros Tom, et ils vont recouvrir de cendre toute la planète…

Vincent mit les mains sur son visage et gémit.

— Tu devrais t'intéresser à ton propre projet, petit frère.

Vincent leva les yeux et aperçut Max qui se trouvait en face de sa table, voyant de la désapprobation à l'état pur sur son visage.

Vincent soupira de nouveau ; il avait seulement détourné les yeux de son frère durant trente secondes, une minute tout au plus.

— Pourquoi ne prêches-tu pas la Bonne Parole ? poursuivit Max, prononçant parfaitement les lettres majuscules sur Bonne et Parole. Je suis là à distribuer des brochures pour toi, propageant le message du Triumvirat, et tu restes assis à ne rien faire.

— Je dose mes efforts, précisa Vincent. Je veux conserver mon énergie pour le moment où ce sera réellement important.

— C'est toujours important ! dit sèchement Max. Chaque instant de la vie doit être passé à répandre l'amour joyeux du Triumvirat.

Tandis que Vincent avait plus ou moins abandonné la foi, Max l'avait embrassée inconditionnellement. Pendant un moment, Vincent avait pensé que la croyance de son frère était seulement une façon de faire de la lèche à leurs parents. Et cela avait peut-être été l'intention de Max au début. Maintenant, toutefois, Vincent comprenait que son frère était un vrai croyant.

Max disait souvent que le Triumvirat donnait une direction et un sens à sa vie. Vincent croyait que cela rendait son frère casse-pieds. Surtout quand cette direction et ce sens s'engouffraient dans le visage de Vincent.

— Pourquoi ne vas-tu pas sauver quelqu'un? suggéra Vincent.

— Tu veux dire Sauver?

— Ouais, exactement.

— Je veux voir comment tu réussis avec les juges, indiqua Max. S'ils ne sont pas impressionnés, Mère et Père seront des plus malheureux.

Vincent fit la grimace à son frère, puis il ramena son attention vers la vaine tentative du gros Tom à plaire aux juges. Il s'efforçait de verser un peu de vinaigre dans le volcan pour provoquer la réaction du bicarbonate de soude, mais il ne pouvait pas tout à fait atteindre le sommet et le vinaigre débordait partout sur le côté.

Vincent gémit, puis il se leva et enleva le vinaigre à son ami. Il le versa alors dans le cône du volcan, et absolument rien ne se produisit.

— Eh bien, ce n'est pas très bon, constata le juge aux gros yeux.

— Cela aurait dû fonctionner, dit Vincent, confus. Gros Tom, mets d'autre bicarbonate de soude.

L'interpellé sortit son sac à moitié plein de bicarbonate de soude et essaya d'en verser d'autre à l'intérieur à l'aide d'une cuiller. Tandis qu'il s'exécutait, Vincent jeta un coup d'œil au sac et fit une découverte désagréable.

— C'est — il enleva le sac à son ami — de la farine.

— Vraiment? demanda le gros Tom. Cela ressemblait à du bicarbonate de soude, alors, j'ai simplement pensé que c'était la même chose.

— Ce n'est pas le cas, expliqua Vincent. Ce n'est pas la même chose. Je te l'ai répété tellement de fois…

— L'as-tu aidé avec ce projet ? questionna la juge aux doigts comme des pattes d'araignée.

— Cela va à l'encontre du règlement, intervint le juge aux gros yeux.

— J'ai bien peur que vous deviez être disqualifiés tous les deux, annonça le juge à l'odeur de fromage, faisant une marque sur son écritoire à pince.

— Mais… mais…, balbutia le gros Tom, mais les juges s'en allaient déjà.

— Vous ne voulez pas voir le mien ? leur lança Vincent.

— À quoi bon ? répondit le juge à l'odeur de fromage. Tu es disqualifié.

Vincent se laissa tomber lourdement sur sa chaise et jeta un regard mauvais au gros Tom. Max se tenait penché sur sa table et le fusillait du regard.

— Mère et Père seront très déçus, prononça Max.

— Oh, va-t'en ! s'impatienta Vincent, se redressant et fourrant d'autres brochures dans les mains de son frère.

— Très déçus, répéta Max, au cas où son frère ne l'aurait pas réalisé la première fois. Puisque Vincent ne répondit pas, Max présuma qu'il avait compris.

Cependant, ce n'était pas le cas. À ce moment, Vincent vit quelque chose de bien plus intéressant en dessous de l'une des autres tables. C'était plus petit que le gros Tom, avec une peau brune et des oreilles pointues, et cela portait des vêtements qui semblaient avoir été fabriqués avec des feuilles. Vincent crut durant quelques instants qu'il s'agissait d'un jouet ou de quelque chose du genre, mais alors, la chose tourna la tête et ses grands yeux profonds se rivèrent aux siens. Ses grands yeux s'agrandirent, possiblement de surprise, et il parut ensuite sourire.

Max se tourna et partit. Le mouvement créa une distraction chez Vincent et il perdit la créature de vue. Quand il regarda de nouveau sous la table, elle était partie.

— Qu'est-ce que c'était ? demanda-t-il à personne en particulier.

— Je ne sais pas, répondit le gros Tom, pensant que Vincent lui parlait.

Vincent aurait pu avoir dit quelque chose de stupide, comme : « Est-ce que tu as vu ça ? », mais il était clair que le gros Tom n'avait rien vu. Vincent se rassit et jeta un coup d'œil à l'endroit où la chose s'était tenue. Un frisson le parcourut. Il y avait une seule chose à laquelle il pouvait penser par rapport à ce que la créature pouvait être. Une chose à propos de laquelle ses parents, son frère et le prêtre l'avaient mis en garde durant toute sa vie.

Un démon.

Pas plus tard que dimanche dernier, il avait été soumis à un sermon sur les démons.

— Ils sont partout, avait prêché le pasteur Impwell à leur congrégation de quarante-deux personnes. Ils cherchent à faire du mal à nos âmes, nous éloignent de la Vérité et nous attirent dans une toile de péché. C'est pourquoi nous devons toujours être vigilants. N'écoutez pas ceux qui vous accuseraient de paranoïa ou de psychose, mes amis. Les démons sont bien réels et nous devons éduquer le monde pour que les gens connaissent leur existence.

Le sermon avait ennuyé Vincent à mourir sur le coup, mais maintenant, il n'apparaissait pas entièrement stupide. Cette créature qu'il avait vue pouvait avoir été un démon, une possibilité qui avait des implications terribles. Si les démons étaient réels, cela voulait-il aussi dire que le Triumvirat était également vrai ?

Parce que s'ils l'étaient, il se trouvait plongé dans un problème spirituel considérable.

Le retour à la maison avait été une torture, mais Vincent ne s'attendait pas à moins. Ses parents avaient écouté très attentivement pendant que Max faisait son compte-rendu des défauts de Vincent, puis ils avaient exprimé leur propre déception sérieuse.

— Tu ferais mieux d'avoir une bonne explication pour ne pas avoir prêché le message de toutes tes forces, avertit son père.

— En effet, ajouta Max, ne voulant pas être laissé en plan.

Vincent avait déjà entendu tout cela auparavant. «Tu laisses tomber le Triumvirat, Vincent.», «Je ne sais pas ce que va dire le pasteur Impwell, Vincent.», «Ne sens-tu pas le feu dans ton âme, Vincent?», «Tu sais combien le message est important, Vincent!»

Vincent prononça : «Oui, maman» et «Oui, papa» aux moments voulus, répondant sur le pilote automatique. Son esprit, cependant, était concentré sur de plus grands problèmes.

Il avait vu un démon. Cela, du moins, était ce qu'il craignait que soit la créature. Il avait envisagé d'en parler à son frère, mais Max aurait pensé qu'il inventait cela pour se sortir du pétrin.

Bien sûr, si Max l'avait vue, il aurait immédiatement déclaré que la créature était un démon. Il n'y aurait eu absolument aucun doute dans son esprit. L'esprit de Vincent se montrait plus ouvert et il détestait passer des jugements sans connaître d'abord tous les faits. Il n'avait jamais vu de démon auparavant et il ne savait pas de quoi ils étaient censés avoir l'air. Cette créature pouvait être n'importe quoi.

Mais si c'était un démon? La pensée terrifiait Vincent, mais son ouverture d'esprit le forçait à l'envisager. Il refusait de prendre au sérieux la religion de sa famille, car il la considérait comme une perte de temps stupide, mais s'ils avaient vu juste au sujet de l'argent? Et si les démons essayaient vraiment d'éloigner son âme du Triumvirat et de l'attirer dans les griffes ardentes de l'enfer?

Pour faire oublier à son esprit sa damnation éternelle imminente, Vincent ramena son attention à ses parents.

— Il n'y aura pas de souper pour toi ce soir, mon fils, indiqua sa mère. C'est pour ton propre bien. Tu dois apprendre… Oh. C'est cette fille. Sa voix, déjà sévère, était devenue d'un ton plus sombre.

Vincent jeta un coup d'œil du côté droit de la voiture et vit une adolescente assise sur la pelouse avant d'une petite maison individuelle. Elle avait de longs cheveux foncés qui avaient été teints en violet et qui descendaient sous ses épaules, et elle portait une robe de la même couleur. Elle se tenait assise, les yeux clos, sur une petite couverture, ses mains tournées vers le haut sur les genoux.

— Chanteuse Sloam, dit Max avec dégoût.

— Que fait-elle? voulut savoir sa mère.

— Elle communique probablement avec les esprits mauvais, répliqua son père d'un air bien informé.

— Elle médite, expliqua Vincent, se penchant pour mieux voir. Il se souvenait qu'elle était jolie, mais il avait oublié jusqu'à quel point.

Chanteuse avait gardé Vincent et Max quand ils étaient de jeunes enfants. Max ne l'avait pas beaucoup aimée, mais Vincent s'était attaché à elle immédiatement. Elle avait joué avec lui et lui avait parlé des énergies occultes, des voyages astraux et des mondes au-delà du nôtre, et Vincent s'était assis pour l'écouter durant des heures.

Ces jours-là lui manquaient.

— Je me fiche de ce que fait cette sorcière, se fâcha sa mère. Pourquoi ne peut-elle pas faire cela ailleurs, là où nous ne pouvons pas la voir?

— Elle aime peut-être la pelouse avant, suggéra Vincent.

— Tu vas descendre à la chapelle dès que nous arriverons à la maison, annonça son père. Tu prieras pour obtenir une meilleure assistance afin que tu puisses prêcher le message de façon plus adéquate à l'avenir, vendredi en particulier.

— Oui, Père, répondit Vincent, se détournant de la résidence des Sloam.

— Allons-nous toujours au cinéma ? s'informa Max.

— Oui, chéri, confirma sa mère. Dès que nous aurons déposé ton frère. Voudrais-tu sortir les affiches du garage ?

— Oui, Mère, je vais le faire, accepta Max en esquissant un sourire lumineux.

— Vous allez vraiment protester contre un film ce soir ? demanda Vincent.

— Si nous arrivons là-bas assez vite, précisa sa mère.

Il n'était pas fréquent que la famille Drear, ou en fait n'importe quel triumviral, doive aller protester à l'extérieur d'un cinéma, à un lancement de livre ou à tout autre événement médiatique. Ils voulaient le faire, mais ces opportunités se voyaient généralement englouties par les autres groupes de foi véritable. De tels groupes, disant tous posséder la foi véritable, refusaient de partager quand il était question de leur indignation, et c'est pourquoi les triumviraux étaient souvent forcés de piqueter devant d'autres choses.

Comme l'acné. Le péché qu'ils cachaient devait monter à la surface, disait le livre du Triumvirat, de sorte que les triumviraux surveillaient fréquemment les drugstores. Les salles d'entraînement représentaient un autre interdit, puisque le fait d'essayer de changer le corps d'une personne revenait à rejeter la forme que Dieu vous avait donnée. Les protestations devant de tels emplacements provoquaient à peine plus que des regards moqueurs, mais pour les triumviraux, c'était la pensée et l'effort qui comptaient.

Ce soir, cependant, la congrégation triumvirale du coin avait une chance de protester contre un vrai film véritable. En supposant que, bien sûr, ils puissent battre les autres groupes de foi véritable au cinéma.

La demeure des Drear était une grande maison de deux étages faite de briques rouges. Max bondit hors de la voiture au moment où ils arrivaient et il courut vers le garage pour l'ouvrir. À l'intérieur se trouvaient toutes les affiches, prêtes pour chaque occasion.

Max se déplaça à travers les affiches antiacné et les panneaux pour homme-sandwich où il était inscrit : «Dites non aux gymnases du diable» jusqu'à ce qu'il trouve les affiches pour l'événement de ce soir. Il choisit les trois meilleures et les chargea dans le coffre avant que Vincent et son père n'aient atteint la porte d'entrée.

— Alors, quel est le film ? s'enquit Vincent alors qu'ils entraient dans la résidence.

— C'est le tout dernier film avec ce garçon sorcier, dévoila son père tandis qu'il le conduisait en bas des escaliers.

— Ah, fit Vincent. Vous avez de la chance, alors. Les autres groupes ont abandonné après le quatrième.

— Nous aurions pu utiliser ton aide, poursuivit son père, mais tu n'es manifestement pas dans l'esprit. Je prie simplement la Lumière de te trouver de nouveau à temps pour l'événement de vendredi.

Vincent ne dit rien. Il avait déjà un plan dans son esprit et il ne voulait pas que son père le ruine en ne l'enfermant pas dans la chapelle.

— Puis-je avoir une collation, au moins ? demanda-t-il.

— Non, refusa son père. Jeûner fera du bien à ton esprit.

— Ça ne fera aucun bien à mon ventre, marmonna Vincent alors que son père le poussait à l'intérieur.

— Ça suffit ! hurla son père alors qu'il faisait claquer les deux portes de la chapelle ensemble. Commence à prier, et puisse le Triumvirat avoir pitié de toi.

La chapelle constituait une petite pièce sans fenêtre, avec un autel placé dans le coin le plus éloigné. Les murs étaient nus et le plancher était fait de béton froid, et la porte avait un gros cadenas à l'extérieur. Le pasteur Impwell avait encouragé tous les membres de sa congrégation à en construire une dans leur maison. Elles se révéleraient nécessaires durant les temps derniers, avait-il dit, quand il serait trop dangereux de s'aventurer à l'extérieur des portes, même pour aller à l'église. Et d'ici ces temps derniers, elles serviraient à exercer une excellente discipline pour les enfants malicieux.

Vincent s'agenouilla sur le plancher de béton froid et fit semblant de prier. Son père ferma sèchement le cadenas et remonta comme un ouragan à l'étage.

Vincent attendit jusqu'à ce qu'il entende la voiture redescendre vers la route. Lorsqu'il fut certain qu'ils étaient partis, il s'échappa.

Vincent avait appris beaucoup au cours des nombreuses heures où il avait été enfermé dans la chapelle. Il avait appris à se divertir avec son esprit et il avait appris à cesser de craindre l'obscurité. Il avait appris comment dormir sur une surface dure et il avait appris à compter sur lui-même.

Mais plus que tout, il avait appris que même si le cadenas était presque indestructible, les charnières retenant les portes ne l'étaient pas. Elles étaient desserrées ; une bonne poussée vers le haut les dégageait du mur.

Vincent saisit l'une des portes par sa poignée et par le bas, puis il appuya vers le haut. Il avait également appris qu'il n'avait pas besoin de tirer les deux portes ; quand l'une se voyait dégagée, il pouvait ouvrir tout cela comme une porte ordinaire. Vincent souleva lentement, soigneusement, jusqu'à ce que la porte de droite soit libre. Puis, il fit virer la porte vers l'extérieur, sortit dans le sous-sol et referma la porte.

Parfait. Maintenant, il avait plus de quatre heures pour lui-même. Il y avait un nombre infini de choses qu'il aurait pu faire avec le temps, et n'importe quel autre jour, il aurait passé son temps au domicile du gros Tom.

Ce soir, toutefois, il avait besoin de parler à quelqu'un de la créature qu'il avait vue à la foire des sciences. Il pouvait parler au gros Tom, mais son ami n'aurait pas de réponse pour lui. Il ne pouvait pas non plus en parler à ses parents ou à son frère. Ils auraient uniquement confirmé ses peurs. En outre, ils étaient partis pour la soirée.

Il ne restait qu'une personne. Vincent monta les escaliers à la hâte, saisit sa veste et quitta la maison. Cinq minutes plus tard, il atteignit la résidence de Chanteuse Sloam.

Comme il l'avait supposé, Chanteuse se trouvait encore en train de méditer sur sa pelouse avant. Il l'avait souvent vue méditer sur sa pelouse avant, quand il passait devant sa maison pour aller à l'école et en revenir. Les personnes dans les voitures klaxonnaient et lui disaient des choses méchantes, et Vincent se montrait toujours impressionné en observant qu'elle ne laissait jamais cela l'affecter. Il ne l'avait jamais vue perdre sa concentration, et il l'avait seulement vue se fâcher une fois…

• • •

Lorsqu'il avait dix ans, Chanteuse avait parlé à Vincent d'exécuter des formules magiques simples, ne sachant pas que Max écoutait. Max s'était précipité pour raconter la chose à ses parents qui, à leur tour, s'étaient précipités à la maison et avaient renvoyé Chanteuse sur-le-champ.

— Comme c'est ignoble! avait dit sa mère. Essayer d'apprendre à mes garçons les façons de faire du diable.

— Vous êtes une créature horrible, moins qu'humaine, avait ajouté son père. Vous allez souffrir une éternité de tourments pour vos péchés.

— Je suis désolée de voir que vous prenez les choses de cette façon, avait répondu Chanteuse, d'une voix calme et agréable. Je ne vous veux, à vous et à votre famille, aucun mal…

— Vous mentez! avait crié M. Drear. Vous ne voulez rien d'autre que du mal à tous les enfants de Dieu.

— Je comprends maintenant, avait dit la mère de Vincent, pourquoi votre mère ne se montre jamais en public.

— Ce n'est pas sa mère, avait rétorqué M. Drear. Cette fille a été adoptée. Probablement abandonnée sur le seuil de cette horrible femme Sloam quand vos vrais parents ont découvert combien vous étiez mauvaise.

Vincent avait senti l'air autour de lui changer, comme s'il devenait épais et lourd. Le visage de Chanteuse avait adopté une expression de rage, et c'était une chose horrible à voir.

— Mlle Sloam est ma mère, avait-elle répondu, et vous ne parlerez jamais d'elle de cette façon ! Jamais !

— C'est ma maison, je vais dire ce qui me plaira, avait répliqué M. Drear, mais il était visiblement ébranlé. À présent, sortez d'ici et ne revenez jamais.

Chanteuse s'en alla ensuite, des larmes coulant de ses yeux. Vincent aurait protesté, mais une gifle au visage venant de son frère l'arrêta.

— Tu aurais dû réfléchir, avait dit Max.

— Ton frère a raison, avait acquiescé son père en prenant le bras de Vincent et en le tirant d'un coup sec vers la cave. Tu vas passer la soirée dans la chapelle pour méditer sur ton péché.

— Pour combien de temps ? s'était informé Vincent alors qu'il frottait sa joue.

— Jusqu'à ce que tu te sois purifié de son mal, avait indiqué son père tandis qu'il poussait Vincent à l'intérieur de la chapelle. Agenouille-toi et prie pour la purification et le pardon.

— Je ne comprends pas ! avait protesté Vincent. Qu'est-ce qu'elle a fait ?

— Elle est une sorcière, avait expliqué son père alors qu'il verrouillait la porte. «Vous ne souffrirez pas qu'une sorcière existe.» C'est dans le texte du Triumvirat. Alors, elle a de la chance que je l'aie laissée partir. Agenouille-toi et prie, Vincent.

Vincent s'était agenouillé sur le plancher de béton froid et avait commencé à prier. Ce n'était pas la première fois qu'il avait été enfermé là, et ce ne serait pas non plus la dernière.

C'était, cependant, la fois où Vincent avait commencé à se poser à lui-même de sérieuses questions. Quelle sorte de Dieu, se demandait-il, penserait que Chanteuse était mauvaise ? Si le Triumvirat prêchait l'amour, pourquoi incitait-il ses disciples à éprouver autant de haine ? Et si les démons étaient vraiment partout, répandant leurs mensonges et leur malice, pourquoi personne n'en avait-il jamais vu aucun ?

Vincent avait prié toute la nuit pour recevoir des réponses à ses questions, mais aucune n'était venue. Et plus il pensait au Triumvirat, moins tout cela avait un sens. Vincent ne l'avait pas réalisé sur le moment — la compréhension viendrait dans les semaines et les mois qui allaient suivre —, mais ses jours en tant que triumviral étaient terminés.

• • •

Vincent ne voulait pas déranger Chanteuse, de sorte qu'il s'assit sur le sol en face d'elle et attendit patiemment. Il ne lui avait pas parlé depuis longtemps, pas depuis l'incident avec ses parents. Serait-elle disposée à lui parler ?

— Bonjour, Vincent, dit Chanteuse, les yeux toujours clos.

— Oh, salut, répondit Vincent, étonné, mais pas vraiment surpris. Comment as-tu su que c'était moi ?

— J'ai senti ton énergie, expliqua-t-elle. Tout le monde possède une présence unique. Je t'ai déjà dit cela.

— Ouais, je me rappelle maintenant, indiqua Vincent. Écoute, si tu n'as pas terminé…

— J'étais justement en train de finir, informa Chanteuse en ouvrant les yeux. Ils étaient vert émeraude et Vincent aurait pu jurer qu'ils brillaient. La Terre est agitée, troublée. Et tu l'es toi aussi.

— Je vais bien, rassura Vincent alors qu'elle se levait et ramassait sa couverture. Mais je dois te parler de quelque chose.

— Viens à l'intérieur, prononça-t-elle. Nous boirons un thé et discuterons sur la véranda.

Vincent la suivit dans le bungalow. Il s'agissait d'une petite maison avec seulement deux chambres, une salle de séjour, une cuisine et un minuscule sous-sol. La mère adoptive de Chanteuse, Mlle Sloam, se tenait assise sur le canapé de la salle de séjour, de l'autre côté de la porte principale, faisant un petit somme. Mlle Sloam était une grande femme dotée de gros os, mais pas grasse.

Vincent n'avait jamais été à l'intérieur de la maison de Chanteuse auparavant et il se demanda brièvement si elle était embarrassée par sa présence. Sa mère lui avait déjà dit que les personnes pauvres avaient honte de leur pauvreté. Vincent repoussa immédiatement cette idée. Il ne pouvait pas imaginer que Chanteuse puisse être embarrassée par quoi que ce soit.

— Allumerais-tu la bouilloire ? s'enquit Chanteuse. Je dois aller chercher une nouvelle boîte de thé dans le garde-manger du sous-sol.

— Bien sûr, pas de problème, accepta Vincent. Il remplit la bouilloire et la brancha, puis il partit à la recherche de lait, de sucre et de deux tasses. Le lait fut facile à trouver dans le réfrigérateur, là où il devait être. Les tasses reposaient dans un placard, également faciles à trouver.

Le sucre fut plus difficile à repérer, et quand Vincent mit enfin la main dessus, il perdit immédiatement tout intérêt à son égard. Il avait ouvert un placard et vu un sac de sucre sur la première étagère, mais son attention avait été instan-tanément attirée par la créature.

Elle était petite et chétive, avec des yeux en forme d'amandes et de grandes oreilles flasques de chien saucisse. En fait, elle ressemblait exactement à la créature qu'il avait vue à l'école.

Et elle le regardait.

— Est-ce que ça te dérange ? dit-elle. J'essaie de manger !

Vincent dévisageait la créature qui se trouvait dans le placard de son ancienne gardienne d'enfants, ne sachant pas
quoi faire. Il était venu pour parler d'une créature comme
celle-ci, mais voilà qu'il se tenait face à une telle créature en
chair et en os. Était-ce un démon ? S'agissait-il d'une preuve

de l'existence du Triumvirat ? Vincent avait besoin de le savoir, mais il était trop effrayé pour le demander.

— Tu as un problème de vue, le jeune ? demanda la chose.

— Apparemment, oui, répondit Vincent. Qui es-tu ? Et qu'est-ce que tu es ?

— Je suis une créature de la magie, indiqua la créature, qui n'aime pas être dérangée. Fuis devant ma poussière de pouvoir ! Et la créature lança une poignée de sucre dans le visage de Vincent.

— Aïe ! prononça Vincent, titubant vers l'arrière et clignant des yeux pour en faire sortir le sucre.

La créature se laissa tomber sur le sol, en plein entre les jambes de Vincent, puis mit le cap sur la porte arrière. Elle y était presque arrivée, tel un éclair, quand la main de Chanteuse la frappa et l'attrapa par l'oreille.

— Aïe ! cria la créature alors qu'elle se voyait soulevée en l'air. Aïe, aïe, aïe !

— Qu'est-ce que je t'ai dit par rapport au fait de rentrer dans la maison ? questionna-t-elle, tenant la créature au niveau des yeux.

— Que se passe-t-il ici ? appela Mlle Sloam depuis la salle de séjour.

— Je ne fais que dire un mot à une des personnes du bois, répondit Chanteuse.

— Une autre ? s'étonna sa mère. Nous avons besoin d'un exterminateur.

— Qu'est-ce que c'est que cette chose ? demanda Vincent.

— Je ne suis pas une chose ! répliqua la créature tandis qu'elle essayait de se déprendre de l'emprise de Chanteuse. Je suis un être de pouvoir magique !

— Tu ressembles davantage à un singe rasé, constata Vincent.

— Arrêtez, vous deux, ordonna Chanteuse. Ah, la bouilloire siffle. Vincent, pourrais-tu s'il te plaît préparer le thé et me rejoindre sur la véranda ?

Chanteuse ouvrit la porte arrière et sortit avant que Vincent n'ait pu demander quoi que ce soit d'autre. Vincent attendit un instant pour rassembler ses pensées et se calmer, puis il prépara le thé. Vincent ne doutait pas que Chanteuse le renseignerait quand elle serait prête.

— Oh, merci, Vincent, dit-elle lorsqu'il sortit. Il transportait un plateau chargé de la théière, de lait, de sucre et de deux tasses. Grimbowl, s'il te plaît, aide mon ami avec la porte.

— Hé ! s'exclama la créature alors qu'elle tenait la porte ouverte pour Vincent. Je vois seulement deux tasses. Est-ce que l'un de nous va s'en passer ?

— Ouais, toi, indiqua Vincent en déposant le plateau sur la table de la véranda. C'est la conséquence pour m'avoir lancé du sucre à la figure.

— Je vais aller te chercher une tasse dans un instant, dit Chanteuse, prenant la théière et remplissant les deux tasses. J'aimerais te présenter mon ami Vincent. Vincent — elle se tourna vers lui —, voici Grimbowl, un elfe.

— Un… elfe ? répéta Vincent, faisant un geste de la main vers la minuscule créature. Est-ce qu'il mord ?

— Est-ce que je mords ? prononça l'elfe, blessé. Est-ce que je mords ? Dis, je ressemble à un chien, pour toi ? Je ne mords pas, le jeune, mais tout le monde sait que je donne des coups de pied ! Et il s'exécuta, violemment et fortement, dans le tibia gauche de Vincent.

— Aïe ! cria Vincent, agrippant sa jambe et sautant à cloche-pied. Espèce de petit abruti !

— Tu veux que j'y aille avec l'autre jambe ? proposa Grimbowl.

— Tu veux que j'y aille pour ta tête ? répliqua Vincent, en levant sa jambe gauche vers l'arrière.

— Ça suffit, vous deux, intima Chanteuse. Assoyez-vous et prenez le thé comme des êtres non-violents.

Vincent posa sa jambe.

Et Grimbowl lui donna un autre coup de pied. Vincent s'écroula sur une chaise, hurlant de douleur, et l'elfe se mit à rire. Puis, plus rapidement que ce que Vincent aurait cru possible, Grimbowl bondit hors de la véranda et s'enfuit en courant dans les buissons en arrière de la cour.

— Je suis désolée de tout cela, dit Chanteuse, déposant sa tasse de thé et observant la jambe de Vincent. Les elfes sont des créatures très malicieuses, mais Grimbowl se comporte généralement mieux.

— Un elfe, articula Vincent. Quel soulagement. Je craignais que ce soit autre chose.

— Pensais-tu qu'il était un démon? demanda Chanteuse en esquissant un sourire.

— Comment le sais-tu? interrogea Vincent, stupéfait.

— J'ai rencontré ta famille, Vincent, expliqua Chanteuse en lui tendant son thé. Je connais les peurs qu'ils doivent avoir mises dans ta tête. Tout ce qui est étrange ou tout ce qui sort de l'ordinaire doit être quelque chose de mal, n'est-ce pas?

— C'est à peu près ça, confirma Vincent. Mais comment sais-tu que ce n'est pas un démon? Il pourrait te leurrer.

— Crois-tu qu'il est un démon? questionna Chanteuse. Ne réfléchis pas. Ne fais que répondre.

— Non, dit Vincent. Ce que tu me dis me semble juste. C'est seulement que… le Triumvirat prévient que les démons sont partout, qu'ils essaient toujours de nous piéger. Je ne veux pas croire cela, mais que se passerait-il si c'était…

— Toute organisation qui t'encourage à avoir peur, l'informa Chanteuse, ne mérite pas d'être suivie. Rappelle-toi de cela, Vincent.

Vincent sourit. C'était exactement ce qu'il avait espéré entendre. Il parla à Chanteuse de l'elfe qu'il avait vu à la foire des sciences de l'école et l'elle l'écouta sans l'interrompre.

— Je ne savais pas ce que c'était, termina-t-il, alors, je suis venu te le demander.

— Je suis flattée que tu aies pensé venir vers moi, prononça-t-elle, et Vincent rougit. Être en sa compagnie le faisait se sentir bien.

— Les elfes évitent généralement les endroits où les personnes se rassemblent, poursuivit Chanteuse. Et Grimbowl n'avait jamais l'habitude de venir à l'intérieur de la maison jusqu'à tout récemment, c'est-à-dire un ou deux mois. Lui et les autres me parlaient uniquement dans la cour arrière, et même dans ce cas, seulement parce que cette maison donne sur un parc. En fait, quand j'ai rencontré les elfes pour la première fois, ils me parlaient uniquement à travers les buissons.

— Tu les connais plutôt bien, constata Vincent.

— Je sais seulement ce qu'ils me disent, ce qui, généralement, n'est pas grand-chose, lui avoua Chanteuse. La plupart du temps, ils gardent leurs pensées pour eux-mêmes.

— Tu connais d'autres créatures bizarres? s'informa Vincent.

— Seulement toi, Vincent, répondit-elle.

— Tu sais ce que je veux dire! cria Vincent, renversant du thé sur ses pantalons. Des créatures comme les elfes. Des créatures surnaturelles comme les fantômes, les lutins, les fées et, bon sang, ce thé est chaud! Aïe!

— Toutes les créatures font partie du monde naturel, Vincent, expliqua-t-elle. Les elfes, les fantômes, les lutins et les autres en font autant partie que toi ou moi. Pour une raison ou pour une autre, la majorité des gens ne peuvent pas les percevoir. Je pense que c'est parce qu'ils ne le veulent pas.

— Je peux les voir, fit remarquer Vincent. Du moins, je peux voir les elfes.

— C'est une bonne chose pour toi, reconnut Chanteuse. Tu as l'esprit ouvert, comme je l'ai toujours dit. Le monde a besoin de plus de personnes comme toi.

Vincent rougit de nouveau. « Et les vampires ? » s'informa-t-il.

— Ne sois pas stupide, rétorqua Chanteuse. Les vampires sont une histoire inventée de toutes pièces.

Ils burent leur thé et continuèrent de bavarder. Vincent lui demanda de lui parler davantage des elfes et elle lui dit ce qu'elle en savait.

— Les elfes sont comme les personnes des Premières Nations, expliqua-t-elle. Ils vivent en harmonie avec la nature. Ils vivent plus longtemps que les humains, et dans certains cas, des milliers d'années.

— Sont-ils des créatures magiques ? voulut savoir Vincent.

— Oui, révéla Chanteuse. Ils utilisent les champs d'énergie qui se présentent naturellement sur notre planète pour se mêler à leur environnement, une autre raison pour laquelle il y a si peu de gens qui les voient. Je pense que si Grimbowl n'avait véritablement pas voulu être vu, tu ne l'aurais pas vu.

— Super, fit Vincent. Que peuvent-ils faire d'autre ? Voler ? Faire bouger des objets avec leur esprit ?

— Je ne le sais vraiment pas, avoua Chanteuse. Nous leur demanderons la prochaine fois que nous en verrons un. Et maintenant, Vincent, je dois te demander de t'en aller. Je dois me préparer pour aller travailler.

Vincent hocha la tête et ils ramassèrent la théière, le lait, le sucre et les tasses. Il se sentait bien mieux depuis qu'il avait parlé avec elle. Une étrange sensation l'envahit ; il savait quelque chose sur le monde que la plupart des gens ignoraient. Il doutait même que le saint Triumvirat ait rencontré des elfes et discuté avec eux.

Bien sûr, ils n'avaient probablement pas été frappés non plus dans le tibia par l'une de ces créatures. Vincent ignorait s'il s'était fait un ami ou un ennemi, mais si Chanteuse aimait Grimbowl, alors, celui-ci devait vraisemblablement être correct.

— Où travailles-tu ces jours-ci ? s'informa Vincent tandis que Chanteuse rangeait les tasses à thé. Ses parents avaient été plus qu'exhaustifs en répandant de mauvaises paroles à son sujet, de sorte qu'il était improbable qu'elle fût encore une gardienne d'enfants.

— À l'épicerie au coin de Dufferin et Steeles, répondit Chanteuse. Je suis caissière.

— Tu veux dire le supermarché de la société Alphega ? demanda Vincent.

— Oui, Vincent, soupira Chanteuse.

Vincent ne pouvait pas y croire. Chanteuse n'était pas le genre de personne à haïr, mais elle en avait vraiment contre les grosses sociétés comme Alphega. Elle lui en avait déjà parlé jadis, lorsqu'elle le gardait encore. Vincent avait demandé s'ils pouvaient aller prendre le dîner au Steinburger's le plus proche, et Chanteuse le lui avait refusé sur des bases morales.

— Steinburger's est la propriété de la société Alphega, et ce restaurant est dirigé par cette dernière, lui avait-elle indiqué. C'est une très mauvaise compagnie, Vincent, et je ne les encouragerai pas.

— Qu'y a-t-il de si mauvais avec eux ? avait demandé Vincent. Il se trouvait encore à l'âge où rien n'était meilleur qu'un bon hamburger avec des frites.

Et alors, Chanteuse lui avait parlé. Parlé de la dépendance d'Alphega pour ses marchandises issues des ateliers de Chine où les ouvriers se voyaient exploités. Elle lui avait révélé comment les supermarchés Alphega mettaient en faillite les magasins du coin. Elle lui avait aussi révélé combien ils traitaient mal leurs employés. Puis, elle lui avait appris la provenance de la viande d'un hamburger de chez Steinburger's, et il avait vomi dans la toilette.

— Je suppose qu'ils polluent également l'environnement, avait suggéré Vincent alors qu'il essuyait sa bouche. Chaque fois que Chanteuse parlait des grosses sociétés, c'était d'ordinaire parce qu'elles se montraient préjudiciables à la Terre.

— En fait, non, avait-elle contredit. Leur dossier environnemental est impeccable. C'est la seule bonne chose que je peux dire en leur faveur.

— Alors, ils ne sont pas totalement mauvais?

— Pas totalement, avait admis Chanteuse, mais certainement pas bons.

— Je pensais que tu étais totalement opposée à ces types, remarqua Vincent.

— Je le suis, confirma Chanteuse, mais c'était le seul emploi que j'ai pu trouver et je dois soutenir ma mère.

— Bien, constata Vincent, prenant note mentalement d'éloigner ses parents de ce supermarché à tout prix. J'espère uniquement qu'ils ne vont pas te traiter aussi mal que... hé, c'est le gros Tom.

Et en effet, c'était lui. La maison de Chanteuse donnait sur un parc, et à travers ce parc serpentait une piste cyclable. Marchant le long de cette piste, la tête basse et le rythme lent, se trouvait le gros Tom.

— Il est contrarié, révéla Chanteuse. Son aura est d'un bleu foncé.

— Je ferais mieux de vérifier ce qu'il y a avec lui, annonça Vincent. Puis-je partir par l'arrière?

— Certainement, Vincent, agréa Chanteuse, puis elle se mit à sourire gaiement. Merci d'être venu. C'était merveilleux de te revoir.

Vincent se sentit rougir de nouveau. Il lui fit un signe maladroit de la main, puis se tourna et courut à travers les buissons. Une minute plus tard, Vincent se trouvait sur la piste cyclable près de son ami.

— Gros Tom, prononça-t-il puisque son ami ne l'avait pas remarqué immédiatement. Qu'est-ce qui ne va pas ?

— Hein ? Oh, salut, Vincent, dit le gros Tom, se tournant pour le regarder. Quand il s'exécuta, Vincent vit que son ami venait de se faire faire un œil au beurre noir.

— Aïe ! Qu'est-ce qui est arrivé ? demanda-t-il.

— Qu'en penses-tu ? interrogea le gros Tom. Barnaby Wilkins m'a encore attrapé.

— Il a réussi ? s'étonna Vincent. Ça alors, en général, tu es trop rapide pour lui.

C'était vrai. Ce qui manquait en grandeur et en force chez Tom se voyait remplacé par la vitesse. Les tyrans qui voulaient le mettre en morceaux devaient d'abord l'attraper, et pour plusieurs, la chose ne s'avérait tout simplement pas possible.

— Un de ses gardes du corps me maintenait en place, expliqua le gros Tom.

— Oh, réalisa Vincent qui avait lui-même eu des ennuis avec les deux anges gardiens de Barnaby Wilkins. Lequel était-ce ? Bruno ou Boots ?

— Bruno, informa le gros Tom. Je le déteste. C'est le pire des deux.

Vincent ne pouvait que hocher la tête en signe d'accord. Le conseil scolaire ne se montrait pas tout à fait fou de l'idée qu'un étudiant ait deux gardes du corps avec lui en tout temps, mais M. Wilkins les avaient convaincus de voir les choses à sa manière. Puisque la société Alphega offrait du financement pour l'école et de la nourriture pour la cafétéria, lorsqu'un cadre d'Alphega comme Francis Wilkins désirait une faveur pour son fils, le conseil scolaire ne pouvait pas vraiment dire non.

Et quand un professeur voyait ces gardes du corps maintenir un étudiant en place pour que Barnaby le batte, tout ce qu'ils pouvaient faire était de regarder dans l'autre direction.

— Barnaby avait-il une raison cette fois, demanda Vincent, ou était-ce seulement une raclée donnée au hasard ?

— Il se réjouissait d'avoir gagné le prix de la foire des sciences, indiqua le gros Tom, alors j'ai dit qu'il avait uniquement gagné parce que son père lui avait acheté tout cet équipement de pointe. C'est à ce moment que Bruno m'a attrapé.

— Es-tu blessé ? s'inquiéta Vincent.

— Il m'a bien eu au visage, informa le gros Tom, montrant son œil au beurre noir. Et il m'a asséné un coup de poing violent dans l'estomac, également.

— Je suis désolé d'entendre cela, fit Vincent. Pourquoi ne viens-tu pas chez moi pendant un moment ? Ma famille ne reviendra pas avant quelques heures et j'ai quelque chose de très génial à te raconter.

— Tu ne lui raconteras rien.

Vincent reconnut la voix instantanément. Il pivota sur ses talons et baissa les yeux, et il vit Grimbowl qui le dévisageait.

— Qu'est-ce que c'est ? questionna le gros Tom.

— Tu la fermes si tu sais ce qui est bon pour toi, dit Grimbowl à Vincent. Tu t'en viens avec nous.

— Oh, vraiment ? riposta Vincent en adoptant une position défensive.

— Oui, tu t'en viens, confirma Grimbowl, et Vincent réalisa tout d'un coup qu'ils étaient entourés par des elfes. Il y en avait environ deux douzaines au moins, se mélangeant aux herbes autour d'eux.

— Qu'est-ce que tu regardes ? voulut savoir le gros Tom.

— Eux ! répondit Vincent, brandissant le doigt dans toutes les directions autour de lui.

— Quoi, le gazon? interrogea le gros Tom.

— Non, espèce d'idiot! rétorqua Vincent. Les… aïe! Il agrippa son tibia et jeta un regard assassin à Grimbowl.

— Est-ce que tu t'es fait mal? s'informa le gros Tom. Qu'est-il arrivé?

Et alors, Vincent comprit. Chanteuse avait indiqué que peu de gens pouvaient percevoir les elfes. Le gros Tom ne pouvait tout simplement pas les voir.

— Ton ami Vincent est parti, dit un elfe plus âgé et d'allure plus sage au gros Tom. Il est rentré chez lui. Tu devrais t'en aller, toi aussi.

— Je pense que je vais rentrer chez moi, prononça le gros Tom, et il commença à s'en aller.

— Gros Tom! cria Vincent, mais son ami ne s'arrêta pas.

— Personne ne peut t'aider maintenant, indiqua Grimbowl. Elfes, emparez-vous de lui.

Tandis que son meilleur ami, le gros Tom, s'en allait, parfaitement inconscient de ce qui se passait, Vincent se faisait kidnapper par les elfes. Ils grouillaient autour de lui, leurs mains minuscules le saisissant et le poussant.

— Lâchez-moi! hurla Vincent, les écartant et essayant de se débarrasser d'eux. Il faisait de grands efforts, mais il y avait trop d'elfes et ils le maintenaient au sol. Jusqu'à présent, ils n'utilisaient pas d'armes, mais cela ne voulait pas dire qu'ils n'allaient pas le faire.

Cela paraissait si injuste. Vincent venait tout juste d'apprendre l'existence d'un monde au-delà du sien. Et maintenant, il semblait qu'il allait mourir à cause de cela.

Eh bien, ça ne se passerait pas sans une bonne bagarre! Comme les elfes le jetaient à terre, Vincent se mit de la partie et se jeta vers l'avant. Il atterrit en plein sur un groupe d'elfes surpris, les frappant de plein fouet. Les minuscules bruits de «ouille» qui se firent entendre furent de la musique aux oreilles de Vincent.

Les elfes se ressaisirent rapidement, cependant. Vincent avait oublié leur vitesse; en moins de deux, ils avaient attaché ses jambes ensemble et l'avaient épinglé sur le sol. Vincent se retourna sur lui-même, délogeant quelques elfes et en écrasant quelques autres, mais bien trop vite, il se fit lui-même écraser. La force de leurs petits bras était incroyable et leur nombre se révélait trop grand. Quelques secondes plus tard, les mains de Vincent se trouvaient liées elles aussi. Il était impuissant et à la merci des elfes.

— Tu es impuissant et à notre merci, dit l'elfe au regard sage, alors, cesse de te débattre.

— Réduisons-le en miettes! suggéra un elfe sur qui Vincent avait roulé.

— Ouais, approuva un autre elfe tandis qu'il aidait son ami à se redresser. Puis, nous nourrirons les oiseaux avec ces miettes.

— Vous ne ferez pas ça! se révolta Vincent, luttant de toutes ses forces. Les cordes ressemblaient à des feuilles de pissenlit, mais elles étaient vraiment solides.

— J'ai dit, lança l'elfe sage, tandis qu'il fouillait dans sa robe, de cesser de faire cela. Il fit apparaître un petit sac et sortit de ce dernier une poignée de poussière.

— Nous allons l'amener au chef, prononça Grimbowl alors que l'elfe sage soufflait la poussière dans le visage de Vincent. Ce jeune pourrait réellement être celui que nous avons cherché.

S'ils avaient dit autre chose, Vincent ne l'avait pas entendu. Au moment où la poussière avait touché son visage, il s'était endormi à poings fermés.

• • •

Quand Vincent s'éveilla, sa tête était très lourde. Il réalisa après un moment ou deux qu'il se trouvait suspendu à l'envers. Il ouvrit les yeux d'un coup sec et vit une grande quantité d'arbres.

— Mais qu'est-ce que…, dit-il, se tournant pour mieux voir les environs. Il ne pouvait pas apercevoir grand-chose en raison du manque de lumière, mais il pouvait seulement distinguer qu'il était suspendu à la branche d'un arbre. Il entendit des voix qui provenaient d'au-dessus de lui, mais elles étaient trop faibles pour qu'il puisse les identifier.

— Ce n'est pas bon, constata Vincent, et il donna à ses cordes une secousse rapide. Ah non, elles étaient aussi solides qu'avant. Il palpa toute la surface qu'il put atteindre à la recherche de nœuds, mais ses doigts n'en trouvèrent aucun. «Si seulement il y avait un peu plus de lumière, pensa-t-il, je pourrais alors trouver une façon de m'échapper.»

Et puis, l'évidence le heurta de plein fouet. Il faisait noir parce que c'était la nuit. Il était sorti depuis si longtemps que le soleil s'était couché. Il lui était impossible de savoir l'heure qu'il était, ce qui n'améliorait pas les choses. S'il ne revenait pas chez lui avant ses parents et son frère, tout ce que les elfes avaient prévu pour lui ne serait qu'un pique-nique comparé à ce que les membres de sa famille lui feraient.

— Au secours! cria Vincent. Quelqu'un, aidez-moi!

— Eh bien, regardez qui est réveillé.

C'était la voix de Grimbowl, mais Vincent ne pouvait pas le voir.

— Au secours ! hurla Vincent. Je suis en haut d'un arbre, et… aïe ! Sa mâchoire fut blessée par ce qui semblait être un coup de pied.

— Arrête cela, avertit Grimbowl. Tu gaspilles ta salive, de toute façon. Personne ne peut t'entendre de là-haut, dans cet arbre.

— Ils ne peuvent pas ? demanda Vincent.

— Toutes les feuilles de cet arbre sont affectées par notre magie, indiqua Grimbowl, et Vincent pouvait seulement distinguer le bras de l'elfe qui effectuait un geste avec expansion vers les branches. C'est un peu comme la poussière qu'Optar t'a lancée au visage. Cette chose était ensorcelée pour te faire dormir, tout comme les feuilles sont ensorcelées pour empêcher le bruit de passer.

— Je vois. Intéressant, constata Vincent. Et c'est inopportun pour moi, songea-t-il. Combien de temps suis-je demeuré accroché là ?

— Environ trois heures, lui révéla Grimbowl.

— Trois heures ? vociféra Vincent. Laisse-moi descendre de là immédiatement ! Il recommença à se débattre, la panique l'emportant sur le bon sens.

— Arrête cela, ordonna Grimbowl, donnant un autre coup de pied au visage de Vincent. Tu ne te libéreras jamais. Les herbes à partir desquelles nous avons fabriqué les cordes sont ensorcelées pour ne pas se casser.

— Cesse de me donner des coups de pied, s'insurgea Vincent, son corps se balançant de long en large à cause du coup. Je dois retourner chez moi ou bien j'aurai de graves ennuis.

— Tu as déjà de graves ennuis, fit remarquer Grimbowl.

— Pas si graves que ceux auxquels je devrai faire face, précisa Vincent.

— N'es-tu pas le moindrement effrayé de ce que nous allons faire avec toi ? s'informa Grimbowl.

— Pas vraiment, non, répondit Vincent. En vérité, il n'avait tout simplement pas eu le temps de s'en inquiéter. Actuellement, tout son esprit se trouvait occupé par les conséquences qu'allait représenter son retard à la maison.

Quoique, maintenant qu'il y pensait, être accroché à la branche d'un arbre insonorisé par des créatures fantastiques qui pouvaient décider de le tuer n'était pas exactement du gâteau.

— Tu es encore plus idiot que je ne le pensais, prononça Grimbowl. Es-tu sûr que c'est celui que tu as vu, Plimpton ?

— Oui, confirma une voix venant d'en arrière de Grimbowl. C'est celui que j'ai vu à la foire des sciences de cette école.

Les yeux de Vincent s'adaptaient à l'obscurité et il put distinguer la forme de Grimbowl qui se trouvait sur une plate-forme construite dans l'arbre. Le nouvel interlocuteur était apparu en surgissant des ombres situées en arrière de Grimbowl et il se déplaça pour se positionner près de ce dernier.

— Il m'a regardé directement, il m'a vu, poursuivit Plimpton. Il doit être l'un des humains les plus ouverts d'esprit.

— Alors, il est parfait, articula une autre voix, et un troisième elfe se joignit au groupe.

— Qui êtes-vous ? demanda Vincent. Le nouvel elfe avait l'air sage et âgé, tout comme celui qui l'avait endormi avec la poussière ensorcelée.

— Je suis Optar, indiqua le vieil elfe sage, le conseiller tribal du chef Megon.

— Bravo pour vous, félicita Vincent. Allez-vous me laisser descendre, maintenant ?

— Non, l'informa Optar. Nous avons besoin d'un agent humain, quelqu'un pour interagir avec ton monde d'une manière qui nous est impossible. Tu seras cet agent.

— Et si je refusais ? questionna Vincent, même s'il soupçonnait qu'il avait très peu de choix en la matière.

— Pour nous assurer de ta coopération, nous allons t'administrer un obyon.

— Un quoi ? interrogea Vincent. Il pouvait voir que quelque chose se trouvait dans la paume de la main d'Optar. Il ne pouvait pas distinguer ce que c'était, mais il y avait là quelque chose, aucun doute possible là-dessus.

— Un obyon, répéta Grimbowl, est une créature magique que nous allons mettre dans ton corps.

— Cela contrôle tes pensées, expliqua Optar, et te corrige si tu nous désobéis.

— Me corrige ? demanda Vincent.

— Tu te souviens quand je t'ai donné un coup de pied à la jambe ? rappela Grimbowl. C'est pire. Bien pire.

— Avec un obyon dans ton corps, tu ne peux pas nous résister ou nous trahir, avertit Optar, s'avançant et tendant la chose vers le visage de Vincent. Reste immobile, cela ne te fera pas mal en pénétrant à l'intérieur.

— Il n'en est pas question ! s'objecta Vincent, se balançant pour s'éloigner des elfes. Vous n'allez rien me rentrer de force dans le corps.

— C'est cela, indiqua Grimbowl, ou bien alors, nous allons te laisser ici jusqu'à ce que tu meures.

Vincent cessa de lutter. Il s'agissait d'une mauvaise situation, et cela n'allait qu'empirer. Toutefois, s'il ne les laissait pas procéder à leur projet, il était plus que certain qu'il n'arriverait pas chez lui avant sa famille.

— Ça va, finissons-en, se résigna-t-il en fermant les yeux et en attendant.

Vincent sentit quelque chose s'attacher à sa joue, puis grimper sur son nez.

— C'est un insecte ? s'informa-t-il tandis que la chose s'infiltrait dans sa narine gauche.

— C'est une coccinelle, révéla Optar, traitée pour nos spécifications magiques. Tout insecte peut être utilisé afin de créer un obyon.

— Sauf les cafards, précisa Grimbowl. Ils pondent leurs œufs là-haut, et ensuite, tu as tout le temps des insectes qui sortent en rampant de ton nez.

Vincent crut qu'il allait être malade. L'obyon grimpa dans sa fosse nasale et il s'établit loin au fond.

— Pourquoi ne le testons-nous pas ? suggéra Optar. Pour donner au jeune un avant-goût de ce qui l'attend s'il nous désobéit.

— Ça va ! dit Vincent. Vraiment.

— Non, c'est une bonne idée, reconnut Grimbowl. Vas-y, Vincent. Fais quelque chose de désobéissant.

— Ce n'est vraiment pas nécessaire…

— Oui, c'est nécessaire, Vincent, rétorqua Grimbowl. Je t'ordonne de me désobéir.

— Non ! répliqua Vincent. Je ne veux pas… aaaahhh !

La douleur se comparait à un tisonnier chauffé au rouge qui explosait derrière ses yeux. Vincent n'avait jamais ressenti de toute sa vie une douleur aussi atroce, et il n'avait pas envie de la ressentir à nouveau. Non pas qu'il l'eût désirée la première fois.

— C'était une blague, s'amusa Grimbowl.

— Non, ce n'en était pas une, protesta Vincent, redoublant ses efforts pour se libérer. J'ai fait ma part ; je vous ai laissé mettre cette chose en moi. Maintenant, laissez-moi partir !

— Je t'ordonne de ne pas lutter, intima Optar, et Vincent arrêta immédiatement.

— Il apprend vite, constata Grimbowl. Hé, le jeune, je t'ordonne de te débattre.

— Quoi ? cria Vincent. Puis : « Aïe ! », étant donné qu'il n'avait pas obéi sur-le-champ. Il se débattit, espérant que la douleur cesserait, mais il n'en fut rien. Les elfes lui avaient donné des ordres contradictoires ; il ne pouvait se conformer aux deux.

— Je t'ordonne d'allonger les bras ! prononça Optar.

— Je t'ordonne de sauter les bras écartés ! ajouta Grimbowl.

— Je t'ordonne de faire la valse ! Avec moi !

Vincent se balança de long en large, hurlant d'une voix enrouée, espérant être mort. Les deux elfes continuaient à lui envoyer des ordres contradictoires ou impossibles, et il avait l'impression que sa tête allait exploser.

— Ça suffit.

La voix était profonde et pleine d'autorité. Vincent regarda dans sa direction et vit un elfe sur la branche en dessous de lui.

— Bonjour, Vincent, salua le nouvel elfe. Je suis le chef Megon. Je vois que mes camarades elfes ont inséré avec succès un obyon dans tes fosses nasales. Comprends-tu ce que nous voulons de toi ?

— Ouais, répondit Vincent, la douleur dans sa tête disparaissant. Vous voulez que je sois votre esclave.

— Je préférerais penser que tu es un allié, précisa le chef Megon. Bien que ce ne puisse pas être autrement.

— Alors, que voulez-vous que je fasse ? s'enquit Vincent.

— Grimbowl te contactera quand nous aurons besoin de tes services, indiqua Megon. Optar, libère-le.

— Oui, chef, obéit Optar, et il prononça quelques mots que Vincent ne put pas comprendre.

Puis, les cordes d'herbes qui liaient Vincent perdirent soudainement leur magie. Dépourvues de leur force, elles ne pouvaient plus soutenir le poids de Vincent. Avec quelques craquements, elles cédèrent et Vincent plongea vers le sol en dessous de lui.

— Ne heurte pas le sol ! lui cria Grimbowl.

Vincent Drear tituba en direction de chez lui en allant aussi vite qu'il le pouvait. Une main agrippée à sa tête, l'autre à son derrière douloureux.

Vincent supposait qu'il devait se considérer chanceux. Il aurait facilement pu se briser le cou après qu'il eut tombé la tête la première de l'arbre des elfes. Au lieu de cela, il avait dégringolé dans une haie, puis il en avait chuté pour atterrir rudement sur le derrière. Ensuite, parce qu'il avait heurté le sol contre la volonté de Grimbowl, l'obyon en haut de son nez lui avait prodigué une autre dose massive de douleur.

Quand il en avait été capable, Vincent s'était relevé et avait boitillé en direction de sa maison. Le rire des elfes l'avait suivi et Vincent avait résisté à l'envie de lancer une roche vers leur arbre. Qui pouvait savoir combien de souffrance il aurait dû endurer s'il avait fait cela?

Sa priorité première consistait à arriver chez lui avant les membres de sa famille, si cela s'avérait encore possible. Vincent marchait aussi vite qu'il le pouvait, incapable de courir en raison de son arrière-train douloureux.

Pendant qu'il se déplaçait, Vincent eut le temps de considérer les implications de ce qui lui avait été fait. Il y avait un insecte magique qui vivait à l'intérieur de son nez, placé là par une race que Chanteuse avait décrite comme étant malicieuse. Tant et aussi longtemps que cet insecte demeurerait là-haut, les elfes pourraient lui faire faire tout ce qu'ils voudraient.

Et s'ils lui demandaient de se ronger les bras? Ou s'ils lui disaient de tuer quelqu'un? Il était totalement sous leur contrôle tant et aussi longtemps que l'obyon vivait.

Combien de temps vivaient les obyons? Et qu'est-ce qu'ils (hoquet) mangeaient?

«Dépêche-toi, Vincent, se dit-il tandis qu'il boitillait. Il doit y avoir une façon de se sortir de tout cela. Pense!»

Il pensait. Et pendant qu'il le faisait, il suivit la piste cyclable vers la sortie du parc et tourna à droite. À présent, il n'avait que quelques coins de rue à franchir avant d'être sain et sauf.

«Je pourrais le sortir en me mouchant!» songea Vincent, et il fouilla l'intérieur de sa poche à la recherche d'un mouchoir. Comme il n'en avait pas, il remonta le bas de sa chemise et essayé cela.

Plusieurs mouchages plus tard, il réalisa que c'était désespéré. L'obyon se trouvait tellement bien ancré qu'on ne pouvait tout simplement pas le moucher.

— Attendez un peu! fit Vincent en claquant des doigts. C'est un insecte, n'est-ce pas? Je pourrais faire gicler un peu d'insecticide sur mon nez!

Il marcha quelques mètres de plus et se sentit très heureux avant qu'il ne se rappelle que l'insecticide était toxique.

— Zut! se découragea-t-il, son moral à la baisse une fois de plus. C'était sans importance, de toute façon; ses parents croyaient en la sainteté de toute vie, et il n'y avait donc aucun insecticide dans la maison.

— Si je prenais seulement une petite dose, se dit-il à voix haute. Je pourrais aller chez le gros Tom et en utiliser un peu là-bas. Je sais qu'ils en ont…

La résidence du gros Tom était pratiquement une ruche d'insecte. Chaque fois que Vincent y allait, il passait la majeure partie de son temps à aider la famille à empoisonner des cafards. Ils avaient des boîtes de gros bidons noirs dans leur sous-sol, chacun muni de gros symboles d'avertissement sur le devant. Inhaler cette substance n'était pas recommandé.

— C'est un trop gros risque, prononça-t-il alors qu'il tournait au coin de sa rue. Il doit y avoir quelque chose d'autre que je peux faire. Peut-être que si j'enfonçais quelque chose dans mon nez…

— À qui parle-t-il?

— À lui-même, je pense.

Vincent ne savait pas avec certitude s'il avait vraiment entendu les voix ou non. Elles avaient été si faibles, juste à la limite de son audition. Il leva les yeux et vit le panneau qui indiquait sa rue au-dessus de lui, avec deux minuscules personnes assises dessus.

— Mais qu'est-ce que c'est que ça? interrogea-t-il. Tout à coup, il y a des créatures bizarres partout!

Les deux minuscules personnes se levèrent et des ailes dorées se déployèrent dans leur dos.

— Il nous voit! constata l'une d'elles.

— Non, je ne vous ai pas vues! contredit Vincent à la hâte, reculant rapidement. Pas besoin de m'enfoncer un insecte dans le nez. Je m'en vais!

Sur ce, il se tourna et se mit à courir. Vite.

• • •

Vincent avait déjà fait claquer la porte d'entrée derrière lui quand il se souvint qu'il devait être discret. Son intention avait été de retourner furtivement dans la maison et de se renfermer dans la chapelle, juste au cas où ses parents ne seraient pas allés vérifier ce qui se passait avec lui lorsqu'ils étaient arrivés à domicile.

Et ils se trouvaient à la maison. Dans sa fuite des minuscules personnages ailés, Vincent avait pourtant remarqué que la voiture était de retour dans l'allée. S'il avait de la chance, ils pouvaient être allés droit au lit. S'il n'avait pas de chance…

Vincent entendit du remue-ménage à l'étage, dans la chambre de ses parents. Ils s'en venaient faire leur enquête! Vincent se déplaça rapidement, ignorant son derrière douloureux alors qu'il se précipitait vers le sous-sol. Ils étaient dans leur chambre, de sorte qu'ils ne savaient probablement pas qu'il était sorti. S'ils l'avaient su, déduisit-il, ils seraient restés éveillés et auraient attendu qu'il rentre à la maison. S'il arrivait à atteindre la chapelle avant d'être vu, il pouvait encore tout simplement se tirer sain et sauf de la situation sans être puni.

Vincent sauta de la dernière marche et se dirigea vers les portes de la chapelle encore entrouvertes. À l'étage, il pouvait entendre les bruits de pas de son père descendant les escaliers vers la porte d'entrée. Irait-il voir au sous-sol? Il ne fallait pas perdre de temps dans les parages pour le découvrir, se dit Vincent, alors qu'il ouvrait prudemment la porte de la chapelle et se glissait à l'intérieur. Portant une attention particulière, Vincent replaça la porte sur ses gonds et recula.

— Ouf! chuchota-t-il en se rassoyant sur le plancher de béton froid.

Il avait réussi. Grâce à la chance pure, et peut-être à un peu d'assistance divine, Vincent était arrivé à se soustraire au courroux de ses parents. Ils n'étaient pas allés vérifier au sous-sol quand ils étaient arrivés à la maison, et s'ils le faisaient maintenant, ils ne découvriraient rien qui soit hors de l'ordinaire.

Il se trouvait chez lui et libre.

Tout d'un coup, une lumière brillante flamboya dans ses yeux. Aveuglé, Vincent mit une main en face de son visage. À travers ses doigts, il put seulement distinguer la forme de son frère Max, assis devant lui, tenant une lampe de poche. Le visage de Max était froid et dur, et plein de vertu.

— Tu as de très gros ennuis, déclara Max.

— Oh non, dit Vincent, bien que «Oh non» ne suffise pas vraiment à traduire l'ampleur de son désarroi. Tout ce que son frère avait à faire, c'était de hurler, et leur père entendrait et viendrait aussitôt faire son enquête.

— On t'avait dit de demeurer là jusqu'au matin, rappela Max, comme pénitence pour ton manque de foi aujourd'hui. Au lieu de cela, tu t'es échappé et tu as fait le Triumvirat sait quoi!

— Chut! siffla Vincent, son esprit s'emballant. Que pouvait-il raconter pour que son frère reste tranquille?

— Honore ton père et ta mère! prononça Max d'une voix déchaînée.

— Chut! répéta Vincent. Que fais-tu ici?

— J'attendais que tu reviennes, indiqua Max, pour que je puisse t'attraper et voir comment tu t'es échappé. Maintenant que je le sais, je vais m'assurer que Mère et Père ne laissent plus jamais cela arriver.

— Et si je te disais, énonça Vincent, pensant rapidement, que je me trouvais en mission pour le Triumvirat?

— Je ne te crois pas, répondit Max. Tu essaies de te sauver des conséquences de ton péché.

— Ce n'est pas vrai! mentit Vincent, sachant très bien que c'était effectivement ce qu'il faisait. Comment penses-tu que je suis sorti d'ici? Il se calmait, ayant absolument besoin de garder sa voix basse. Le Triumvirat m'a dit que la porte était sortie de ses gonds. Je le jure sur ma vie!

— Continue, indiqua Max, son visage un peu moins sévère.

Il gobe cette histoire, pensa Vincent, et il poursuivit.

— Ils m'ont dit de passer mon temps de pénitence à Leur service pour me faire pardonner pour aujourd'hui, affirma-t-il, s'assurant de prononcer le «L» majuscule sur «Leur». Ils voulaient que j'aille au parc et que je cherche des créatures démoniaques.

En prononçant cela, Vincent ressentit une petite crampe de douleur venant de l'obyon. C'était un avertissement; on lui avait ordonné de ne pas parler des elfes.

Cependant, personne n'avait rien dit à propos des minuscules personnages ailés. C'était jouer franc jeu, et c'était sur le point de le tirer d'affaire.

— Je suis allé au parc pour faire mon enquête, enchaîna Vincent, et j'ai vu un tas de petites personnes — son mal de tête augmenta — dotées d'ailes minuscules sur leur dos. Le mal de tête s'apaisa. Quand elles m'ont vu, elles m'ont attaqué et m'ont gardé prisonnier dans les arbres.

— Non, nous n'avons pas fait cela!

Vincent sursauta, puis se retourna. Voletant dans l'air derrière lui se trouvaient les deux petites personnes qu'il avait vues sur le panneau de rue. Leurs ailes bourdonnaient comme celles des libellules et luisaient comme celles des lucioles.

— Il débite des mensonges à notre sujet, Clara, dit le mâle à la femelle. Il parle de nous comme si nous étions des elfes !

— Comment êtes-vous entrés ici ? leur demanda Vincent.

— Nous t'avons suivi, répondit Clara.

— Tu nous as presque écrabouillés quand tu as claqué cette porte, réprimanda le mâle. Et maintenant, tu racontes des mensonges ! Je devrais t'arracher la tête immédiatement.

— Calme-toi, Nod, intervint Clara. Il ne sait probablement pas ce que nous sommes. Elle leva les yeux vers Vincent. Tu n'as jamais vu d'êtres post-époques auparavant, n'est-ce pas ?

— Post quoi ? questionna Vincent.

— À qui parles-tu ? interrogea Max.

— À ces types, indiqua Vincent, se déplaçant pour qu'il puisse bien apercevoir Clara et Nod.

— Quels types ? demanda Max.

— Voyons, ils luisent ! dit Vincent, effectuant un geste de la main en direction des minuscules créatures. Tu dois voir quelque chose.

— Je ne vois… rien, répliqua Max, mais ses yeux racontaient une tout autre histoire. Il apercevait quelque chose, bien entendu. Il ne savait tout simplement pas quoi faire de ce qu'il voyait. Vincent savait que Max, comme ses parents, croyait aux créatures surnaturelles. Pour un triumviral, c'était un préalable. Il y avait des anges en haut et des démons en bas ; qu'est-ce que son esprit finirait par décider ?

— Tout ce que je vois, c'est ton péché, prononça Max, clignant des yeux et secouant la tête. Manifestement, il avait choisi de ne rien voir.

— Max…, commença Vincent, pendant que Nod et Clara soupiraient.

— Tu inventes des histoires au sujet de créatures démoniaques, poursuivit Max, et tu oses suggérer que le Triumvirat t'a envoyé pour une quête. Tu penses vraiment que je pourrais te croire ?

— C'était une longue chasse, expliqua Vincent.

— Nous n'avons pas le temps pour ce garçon, dit Nod, et il s'envola vers Max à grande vitesse.

— Arrête ! cria Vincent, bondissant sur lui. Son frère n'était pas la personne qu'il préférait, mais il ne voulait pas que Max soit blessé.

— Hé ! prononça Nod tandis que Vincent saisissait brutalement ses minuscules jambes.

— Aïe ! fit Vincent alors que le petit homme l'entraînait vers l'avant.

— Que fais-tu ? demanda Max, son visage rempli de confusion.

— Lâche-le ! ordonna Clara. Elle s'envola au-dessus de Vincent, puis enfonça les deux pieds dans son dos.

— Ouf ! réagit Vincent tandis que l'air se voyait expulsé de ses poumons.

— Woah ! cria Nod alors que la main de Vincent le libérait subitement, et il tomba rapidement hors de contrôle sur la poitrine de Max.

— Yaaaah ! hurla Max pendant que lui et Nod chutaient vivement à la renverse sur l'autel en arrière de lui, le faisant tomber avec un grand fracas.

— Nod, s'écria Clara, bondissant de Vincent et s'envolant vers son compagnon.

— Aïe…, gémit Vincent, étendu dans un coin. Il avait mal partout et ne voulait plus bouger. Il avait vécu trop d'événements aujourd'hui et il priait pour que les choses n'empirent pas davantage.

— Que se passe-t-il ici? tonna le père de Vincent, ouvrant vivement la porte de la chapelle.

— Oh non, marmonna Vincent.

Les choses venaient d'empirer.

« Qu'est-ce qui se passe dans les verts pâturages de Dieu ? »
gronda le père de Vincent en jetant un regard circulaire dans
la chapelle. La lumière du sous-sol illuminait la scène chao-
tique devant lui, mais toute son attention se voyait concentrée sur les deux minuscules personnages ailés.

« Il les voit », réalisa Vincent.

— Arrière, créatures infectes du Diable! rugit M. Drear, saisissant la croix autour de son cou et la tendant brusquement vers l'avant, aussi loin que la chaîne le permettait. Au nom du Triumvirat, je vous ordonne de…

— La ferme! dit Nod, et il s'envola droit devant M. Drear pour lui donner un grand coup sur le menton.

— Arrête! cria Vincent, bondissant sur ses pieds et attrapant son père alors qu'il tombait. Il était froid; Vincent le poussa doucement sur le plancher de la chapelle, puis se tourna vers la créature volante.

— Cesse de taper sur les membres de ma famille! ordonna-t-il, enfonçant un doigt dans la poitrine de Nod.

— Touche-moi une autre fois, avertit Nod dangereusement, et tu vas perdre ce doigt, mon pote.

— Oh, vraiment? rétorqua Vincent, et il dirigea son autre poing vers le corps tout entier de l'homme minuscule. Nod fut projeté vers l'arrière et rebondit sur le mur, puis il descendit en spirale vers le plancher.

— Nod! s'écria Clara, puis elle s'envola vers Vincent. Tu vas le payer, humain!

Vincent était paré pour elle. Il se détourna du chemin de Clara, et quand elle s'immobilisa pour se retourner, il lui assena un violent coup sur sa minuscule tête.

— Aïe! gémit Clara, puis elle s'empara de la main de Vincent et la tordit. Vincent bondit en l'air, puis il atterrit à l'envers sur son frère inconscient.

— Je vais te régler ton compte, annonça Clara, saisissant Vincent par la jambe et le soulevant en l'air. J'espère que tu aimes le mur, parce que tu vas en faire partie!

Elle fit tourner Vincent en rond dans les airs, mais lorsqu'elle le laissa aller, quelque chose l'attrapa et le déposa.

— Nod! cria Clara. Que fais-tu?

— D'une certaine façon, j'aime ce jeune, expliqua Nod, atterrissant en face de Vincent. Il est robuste et il prend sa propre défense. Nous devons respecter cela. De plus, il peut nous voir. Nod se tourna et leva les yeux vers Vincent. Les personnes comme toi sont rares, le jeune. Désolé pour ta famille. Tu ne m'en veux pas ?

Vincent lui en voulait, mais il ne pensait pas qu'il devait pousser sa chance. Il avait été stupide de se battre avec ces créatures, et la dernière chose dont il avait besoin était d'avoir davantage d'ennemis fantastiques.

— Non, bien sûr, dit-il. Et je peux comprendre que vous ayez été contrariés quand je vous ai donné le nom de créatures démoniaques.

— Ouais, qu'est-ce que tout cela voulait dire ? interrogea Clara, atterrissant près de Nod.

— Je devais dire quelque chose à mon frère, se justifia Vincent. Et comme je ne pouvais pas lui parler des créatures qui m'ont vraiment attaqué — il tapota son nez —, je vous ai alors utilisés. Comment pouvais-je savoir que vous m'aviez suivi à la maison ?

— On lui a placé un obyon, indiqua Clara à Nod. Ce n'est pas une bonne chose.

— Ce n'est jamais une bonne chose, répondit Nod, puis il se tourna encore vers Vincent. Tu as eu une querelle avec les elfes, n'est-ce pas ? C'est une mauvaise bande. Ils ne sont pas aussi méchants que les centaures, mais ils sont tout de même des crapules. Pas étonnant que tu te sois enfui de nous. Les choses ne se sont pas passées comme tu l'aurais voulu, n'est-ce pas ?

— Non, admit Vincent. Écoutez, avant que nous en discutions davantage, pouvez-vous m'aider, tous les deux ? Je préférerais réellement que mon père et mon frère ne se réveillent pas ici pour recommencer à paniquer de nouveau. Aidez-moi à les amener à l'étage, puis nous pourrons parler autant que vous le désirez.

Les petites créatures continuaient de surprendre et d'étonner Vincent par leur force. Nod ramena M. Drear à l'étage sans aucune aide et Clara fut tout à fait capable de transporter Max. Pendant que les minuscules personnages déposaient les membres de sa famille dans leur lit, Vincent prit quelques collations dans la cuisine et retourna à la chapelle.

Ils jasèrent, mangèrent des chips et burent des colas diète et sans caféine. Vincent apprit que Clara et Nod étaient des lutins qui, comme les elfes, s'étaient récemment installés dans le quartier. Vincent apprit également qu'il y avait plusieurs types de créatures fantastiques qui vivaient maintenant à l'intérieur des limites de la ville.

— C'est un grand site de réunion habituel ici, révéla Nod. Et il en arrive d'autres tous les jours.

— Comment viennent-ils ? s'enquit Vincent, prenant une grande gorgée de sa bouteille de cola. Ses parents insistaient pour que lui et Max aient uniquement des boissons gazeuses quand ils recevaient des invités. Eh bien, les lutins étaient des invités, n'est-ce pas ?

— Tu ne le sais pas ? questionna Nod.

— Bien sûr qu'il ne le sait pas, indiqua Clara. Il a seulement commencé à voir ceux de notre espèce aujourd'hui. Mais je suis certaine qu'il est au courant du site du portail.

— Le quoi ? demanda Vincent, engouffrant des chips. Les chips se voyaient aussi strictement réservés aux invités, mais Vincent avait manqué le dîner.

— Tu sais, les sites du portail, dit Clara.

— Non, je ne sais pas, répondit Vincent.

Clara le fixa la bouche ouverte, comme sous le choc, durant ce qui apparut une minute entière. Nod soupira et secoua la tête.

— Tu ne sais vraiment pas ? vérifia Clara.

— Non, réitéra Vincent. Je ne sais pas. Et vous commencez à m'agacer sérieusement. Qu'est-ce qu'un site du portail ?

Les deux lutins se tournèrent et se regardèrent mutuellement.

— Devrions-nous lui dire? soupesa Clara. Je veux dire, s'il n'est pas au courant…

— Personne parmi eux n'est au courant, précisa Nod. C'est comme je te l'avais dit, quelque chose est dérangé en ce moment. Personne parmi les humains n'est au courant.

— Mais ils doivent savoir, plaida Clara. C'est presque le temps, et…

— Vois-tu quelqu'un se préparer? interrogea Nod. Vois-tu les humains dans un exode massif vers les sites? Non, tu n'en vois pas. Ils ne savent pas. C'est comme ce qui nous est arrivé, mais c'est pire, parce qu'ils ne savent pas.

— S'il vous plaît, est-ce que l'un de vous deux va me dire de quoi vous parlez? s'impatienta Vincent, élevant la voix aussi fort qu'il osait le faire.

— Vincent, expliqua Nod, ce que je suis sur le point de te dire est important. Plus important que tout ce que tu as entendu auparavant.

— J'en ai entendu beaucoup, prononça Vincent, essayant d'arborer un air brave. À l'intérieur de lui-même, le suspense le dévorait vivant.

— Tu n'as pas entendu parler de cela, prévint Nod. Vincent, le monde est sur le point de finir.

Vincent cligna des yeux. Son esprit absorba l'information et il se montrait plus qu'un peu déçu.

— C'est ça? s'informa Vincent.

— Que veux-tu dire par «c'est ça»? s'étonna Nod, lui lançant une croustille. Le monde va finir. Bientôt! Cela ne t'inquiète-t-il donc pas?

— Je viens de présenter un projet scolaire sur la fin du monde à notre foire des sciences, lui révéla Vincent, et l'église de mes parents prétend que nous sommes dans les derniers jours depuis que je suis né. Je suis désolé, Nod, mais la fin du monde ne constitue pas pour moi un si gros choc.

— Wow, fit Clara en se tournant vers son compagnon. Et tu dis que nos vies sont déprimantes.

— Je ne le dis pas, protesta Nod. Bon, parfois.

— Alors, comment tout cela va-t-il finir ? questionna Vincent. À cause d'une guerre nucléaire ? De l'impact d'un astéroïde ? D'une ère glaciaire ? D'abeilles meurtrières ?

— C'est pire, dévoila Nod. À cause des démons.

— Des démons ? répéta Vincent, la vieille peur revenant. Ils existent vraiment ?

— Pas de la façon dont tu y penses probablement, corrigea Nod. Tout d'abord, ils n'utilisent pas de fourches. Ils n'en ont pas besoin.

— Et ils ne viennent pas de l'enfer, ajouta Clara. Ils font partie d'un processus de purification naturel de la Terre.

— Répète un peu ? demanda Vincent.

— Leur objectif, expliqua Clara, consiste à détruire les espèces dominantes dont l'époque est passée. C'est la seule façon de préparer le monde pour les prochaines espèces.

— Tu ne voudras pas être bloqué en arrière quand viendront les démons, avertit Nod. Tu vois, le jeune, tous les deux ou trois mille ans ou à peu près, la planète doit se rajeunir. Avoir un nouveau départ. Les démons font partie de ce processus. Tout comme les sites du portail. Tout d'abord, il y aura quelques tremblements de terre, puis de la très mauvaise météo, puis des volcans, et ensuite les portails se fermeront et les démons apparaîtront. Tout cela est en lien avec le dépeuplement des espèces dominantes de la planète.

— Le dépeuplement…, balbutia Vincent. Vous voulez dire qu'une bande de démons va venir pour effacer toute l'humanité ?

— C'est à peu près ça, ouais, confirma Nod.

Le fait que Vincent n'ait pas dormi n'avait rien à voir avec le plancher de béton froid. Il avait la tête qui tournait à cause l'information qu'on lui avait fournie, passant de la terreur à la fascination.

Les lutins étaient restés une heure supplémentaire, durant laquelle ils remplirent quelques trous vides. Spécifiquement, ils parlèrent à Vincent des sites du portail.

L'avenir proche n'était pas complètement sombre. Les sites du portail, expliquèrent les lutins, constituaient les billets de l'humanité pour fuir la planète condamnée.

— Quand chaque époque approche de la fin, indiqua Nod, les portails apparaissent dans certains sites, à la grandeur de la planète. Les créatures qui composent les espèces dominantes de cette époque sont attirées de façon psychique vers ces sites, où elles peuvent traverser les portails et quitter ce monde.

— Où mènent-ils ? s'informa Vincent.

— Nous ne le savons pas, répondit Clara. Nous n'avons pas eu la chance de le découvrir. Ce n'est pas quelque chose que je recommanderais.

— Les portails demeurent seulement ouverts durant un court laps de temps, précisa Nod. Tous ceux qui restent sur la planète lorsqu'ils se referment deviennent de la nourriture à démons.

— Toute l'humanité devrait immédiatement se ruer vers la porte la plus proche, lui conseilla Clara. Le fait que vous n'y alliez pas signifie qu'il y a quelque chose qui ne va réellement pas.

— Comment se fait-il que vous ne soyez pas allés vers un portail tous les deux ? s'enquit Vincent.

— Eh bien, il s'agit d'une drôle d'histoire, révéla Nod. En gros, c'est entièrement la faute des centaures.

— Vous avez mentionné les centaures auparavant, constata Vincent. Qui sont-ils ?

— Des casse-pieds, dévoila Nod. Ils croyaient qu'ils étaient meilleurs que toutes les autres espèces.

— Ils proviennent, comme nous, de la dernière époque, dit Clara. Quand notre époque s'est terminée, il y a six mille ans, les centaures ont refusé de partir.

— Ils pensaient que la planète leur appartenait, ajouta Nod, et ils ont pensé qu'ils étaient assez puissants pour repousser les démons. Ben, mon vieux, ils avaient tort.

— Juste une seconde, interrompit Vincent. Êtes-vous en train de me dire que vous avez six mille ans?

— Neuf mille, en fait, précisa Nod. Et Clara en a huit mille, bien qu'elle n'ait pas l'air d'avoir un jour de plus qu'un millénaire.

— Je te remercie, Nod, prononça Clara. Nous avons de plus longues existences, Vincent. Et il en va de même pour toutes les créatures de notre époque.

— Wow, réagit Vincent. Alors, vous étiez là, combattant les démons avec les centaures?

— Diantre, non! corrigea Nod. Nous voulions quitter la planète, tout comme les autres espèces. Le problème, c'était que les centaures ne nous laissaient pas faire.

— Ils ont bloqué tous les portails, révéla Clara, et ils se sont battus avec tous ceux qui essayaient de les franchir. Quelques-uns les ont traversés, mais ils n'ont pas été nombreux. Les centaures sont des utilisateurs de magie très puissants, Vincent. Quand Nod et moi avons tenté de les dépasser, ils nous ont repoussés très facilement.

— Pourquoi ne voulaient-ils pas que vous les franchissiez? demanda Vincent.

— Parce qu'ils sont des crétins, répondit Nod.

— À cause de l'équilibre, clarifia Clara. Chaque espèce a son rôle à jouer dans l'ordre naturel des choses. Les centaures voulaient que le monde reste exactement comme il était.

— Mais il n'est pas resté pareil, n'est-ce pas? questionna Vincent.

— Non, confirma Nod. Les démons les ont pourchassés et les ont tué jusqu'aux derniers, comme pour la plupart de toutes les autres races également.

— Et c'est ce qui va vous arriver, ajouta Clara, si vous ne trouvez pas bientôt les portails.

— Désolé de larguer tout cela sur toi, le jeune, s'excusa Nod. Nous te le dirons si nous découvrons le site du portail, mais si nous ne pouvons pas… eh bien, bonne chance à nous tous.

Après que les lutins furent partis, Vincent tria les informations qu'ils lui avaient données. Une centaine d'autres questions brûlaient dans son esprit et tout cela tournait autour d'une seule chose : ce serait la fin du monde, et dans pas grand temps.

Alors qu'il s'étendait sur le plancher de la chapelle, réfléchissant longuement à tout cela, il réalisa qu'il devait faire quelque chose à propos de ce qu'il avait appris. Mais quoi ?

— Je dois parler de nouveau avec Chanteuse, se dit-il. Elle saura ce qu'il faut faire.

• • •

Quand les portes de la chapelle s'ouvrirent finalement (de la façon appropriée), Vincent s'était préparé à ce qui allait survenir. Son père et son frère pouvaient s'être réveillés en croyant que l'émoi de la nuit précédente avait été un rêve, mais Vincent ne pouvait pas compter sur cela.

Avant qu'ils partent, les lutins l'avaient aidé à remettre la chapelle dans son ancien état immaculé. L'autel était debout une fois de plus, les bouteilles de boissons gazeuses étaient parties et même les plus petites miettes de chips avaient été ramassées sur le sol. Il n'y avait pas le moindre signe que quelqu'un d'autre que Vincent s'était trouvé dans la chapelle toute la nuit, et certainement aucune preuve qu'il s'y était amusé.

« Pas de preuve, sauf les souvenirs de mon frère et de mon père », pensa Vincent alors qu'il se tournait pour faire face à la musique.

Au lieu de son père ou de Max, toutefois, Vincent vit sa mère. Il cligna des yeux de surprise au moment même où il protégeait ses yeux de la lumière brillante du sous-sol.

— Je crois que tu as appris la leçon? interrogea sa mère.

— En effet, je l'ai apprise, indiqua Vincent, s'attendant à une sorte de réprimande.

— Bien, dit sa mère. Viens et allons déjeuner. J'ai fait des crêpes.

Vincent cligna des yeux avec surprise une fois de plus. Que signifiait tout cela?

— Qu'est-ce que ça veut dire? demanda Vincent pendant qu'il suivait sa mère à l'étage.

— J'ai pensé que tu méritais une petite gâterie après avoir passé toute la nuit dans la chapelle, expliqua-t-elle.

— Vraiment? s'étonna Vincent, sa surprise grandissant tandis qu'il s'assoyait à la table de la cuisine. Sa mère avait déjà préparé les crêpes et elle avait même sorti le sirop d'érable pur à 100 %. Ils avaient toujours utilisé ce sirop uniquement le matin de Noël, et cependant, il était là.

— Oui, vraiment, confirma sa mère en s'assoyant en face de lui. Une mère ne peut-elle pas gâter son enfant de temps en temps?

— Je croyais que le Triumvirat ne permettait pas ce genre de chose, prononça Vincent, la regardant avec méfiance. Cela avait certes été la politique de ses parents jusqu'à maintenant.

— Je pensais cela moi aussi, répondit sa mère en servant les crêpes, mais un ange m'a dit de faire les choses différemment hier soir.

Vincent, qui avait tendu la main pour prendre le sirop, interrompit son geste.

— Un ange? répéta-t-il.

— Oui, je me suis réveillée la nuit dernière et j'ai vu un ange remettre ton père au lit, indiqua sa mère. Il a dit que le Triumvirat était en colère à cause de la façon dont nous t'avons traité.

— Il a dit ça? questionna Vincent, souriant intérieurement. Ce petit lutin effronté!

— Il a dit que je devrais te gâter, mentionna sa mère, alors, c'est ce que je fais.

Vincent pensait que c'était bien amusant, mais il remarqua ensuite le regard sur le visage de sa mère. Elle semblait effrayée, absolument effrayée. Vincent supposait qu'elle ressentait la même peur qu'il avait lui-même ressentie quand il avait vu son premier elfe. Bien sûr, sa mère croyait aux anges et aux démons. Mais c'était une tout autre chose d'en voir véritablement un.

— Hum, merci, prononça Vincent en versant le sirop. C'est génial, maman.

— Est-ce que je peux faire autre chose pour toi? demanda sa mère, sa voix juste un peu frénétique. Un verre de lait? Ou aimerais-tu essayer le café?

— Non merci, ça va, refusa Vincent, commençant à manger ses crêpes. Elles étaient un peu coriaces et grumeleuses; sa mère n'avait jamais appris l'art de faire des crêpes.

— Comment sont-elles, chéri? s'informa-t-elle, sa voix fêlée par la tension.

— Bien, tout simplement formidables, répondit rapidement Vincent, prenant une autre bouchée et levant le pouce.

Bon sang, songea-t-il, *tout cela commence à me faire flipper. Qu'est-ce que Nod lui a dit?*

— Qu'est-ce que l'ange t'a dit, maman? interrogea Vincent. Tu parais un peu ébranlée.

— Tu le serais toi aussi si tu avais vu un ange, rétorqua sa mère. Malgré tout, je me serais attendue à ce qu'il soit un peu plus grand… en fait. Elle se leva tout d'un coup. Je ferais mieux d'aller voir si ton père et ton frère se sont déjà levés.

«Hum», pensa Vincent qui avait presque oublié les difficultés auxquelles il pourrait faire face si son père et Max avaient souvenir de la nuit précédente. Nod leur avait peut-être dit quelque chose à eux aussi ? Non, Max n'avait pas pu voir les lutins, pas réellement. Et son père avait cru qu'ils étaient des démons. C'était curieux, réfléchit Vincent, que sa mère les ait considérés comme des anges. Les gens les voyaient peut-être de la manière qu'ils le voulaient.

Sa mère quitta la cuisine et se précipita à l'étage. S'il ne la connaissait pas mieux, Vincent aurait pu penser qu'elle avait maintenant peur de lui. Vincent n'était plus certain de bien la connaître. Il engouffra le reste de ses crêpes, puis marcha prestement vers la porte d'entrée et mit ses souliers. Il aurait aimé changer de vêtements, puisque ceux des jours précédents commençaient à être un peu poisseux, mais Vincent voulait éviter les membres de sa famille s'il le pouvait.

C'était un jour d'école, mais avec cette histoire de fin du monde, Vincent estima qu'il pouvait prendre une journée de congé. S'il se dépêchait, il pourrait peut-être intercepter Chanteuse avant qu'elle ne parte pour sa propre école. Il lui raconterait tout ce qui lui était arrivé durant les dernières douze heures et lui apprendrait ce qui concernait les sites du portail, les fins d'époques et ainsi de suite.

Vincent enfila sa veste et il tournait la poignée de la porte quand il entendit quelqu'un descendre les escaliers. Un moment plus tard, Max apparut, portant encore les vêtements de la veille. Il avait l'air éreinté, comme s'il avait trop dormi, mais lorsqu'il vit Vincent, il se redressa sur-le-champ.

— Vincent ! s'exclama-t-il. Où crois-tu que tu t'en vas ?

— À l'école, répondit Vincent en ouvrant la porte. Je dois y aller. Au revoir !

Vincent claqua la porte au visage de son frère, puis s'enfuit vers la rue.

Chanteuse méditait devant chez elle alors que Vincent approchait. «Super, songea-t-il. Je ne l'ai pas manquée.»

— Arrête-toi immédiatement, le gosse.

Vincent se retourna vivement et baissa les yeux. Grimbowl se trouvait sur le trottoir derrière lui, son habituel sourire insolent aux lèvres.

— Tu ne serais pas en train de penser à raconter à notre amie commune ce qui s'est passé hier soir, demanda Grimbowl, n'est-ce pas?

— C'est exactement ce que j'ai l'intention de faire, confirma Vincent, et il reprit sa marche vers la maison de Chanteuse.

— Arrête-toi, ordonna Grimbowl.

La douleur éclata dans la tête de Vincent, de sorte qu'il s'arrêta.

— Tu ne raconteras rien à Chanteuse à propos de notre petite conversation, avertit Grimbowl. Est-ce que tu me comprends?

Vincent fusillait l'elfe du regard, qui lui-même souriait d'une façon suffisante.

— Je t'ai eu, révéla Vincent. Je m'en allais lui parler d'autre chose.

— Oublie ça. Il est temps que tu ailles travailler, indiqua Grimbowl. Viens avec moi.

Vincent était déchiré. Il voulait terriblement parler à Chanteuse, mais il connaissait trop bien le prix de la désobéissance. Il jeta un dernier coup d'œil à son amie qui méditait, puis il se hâta de suivre l'elfe.

• • •

Il ne fallut que quelques minutes avant que Vincent ne réalise que l'elfe le conduisait à l'école. Cela l'irrita infiniment, puisqu'il avait finalement décidé de sécher les cours de la journée. Une bonne éducation s'avérait importante, lui avaient dit plusieurs fois ses parents, ses professeurs et son frère. Dans l'immédiat, cependant, faire quelque chose à propos de la fin du monde semblait légèrement plus urgent que les maths ou la géographie.

Ils atteignirent la lisière du terrain de football de l'école et se dirigèrent vers le stationnement. Grimbowl montra du doigt une limousine alors qu'elle se garait dans l'aire et Vincent regarda sortir le garçon le plus riche de l'école.

— Barnaby Wilkins, prononça-t-il avec une bonne dose de mépris.

— Tu le connais? constata Grimbowl. Bien, cela facilitera les choses.

— Tu veux que je lui casse la figure? s'informa Vincent avec espoir, le souvenir des bleus du gros Tom encore frais dans son esprit.

— Non, objecta Grimbowl. Nous voulons que tu te lies d'amitié avec lui.

— Oh, c'est pas vrai! se découragea Vincent. Tu veux que je passe du temps avec cet abruti?

— Oui, confirma Grimbowl.

— Il n'en est pas question.

— Oh oui, tu vas le faire, rétorqua Grimbowl. Si tu ne veux pas que ta tête explose, tu vas faire exactement ce que je te dirai.

Vincent grogna, mais ne fit aucun autre commentaire. L'elfe avait raison et il le savait.

— J'ai raison, énonça Grimbowl. Et tu le sais.

— Ça va, c'est bon, je vais me lier d'amitié avec Barnaby, accepta Vincent. Mais pourquoi? Pourquoi te soucies-tu d'un gosse de riche?

— Tu te souviens de mon ami Plimpton? rappela Grimbowl. Il a jeté un coup d'œil au projet que Barnaby a fait pour la foire des sciences, celui sur les conspirations du gouvernement. Nous pensons qu'il pourrait avoir mis le doigt sur quelque chose. Tu as déjà entendu parler des sites du portail?

— Les sites du portail? répéta Vincent. Qu'est-ce que c'est? S'il admettait qu'il était au courant des sites du portail, Grimbowl aurait voulu en connaître la raison et Vincent ne voulait pas que les elfes apprennent sa rencontre avec les lutins s'il pouvait l'empêcher. Il avait le sentiment que les deux groupes ne s'entendaient pas tout à fait.

— Alors, tu penses que le gouvernement cache ces sites du portail? supposa Vincent quand Grimbowl eut terminé d'expliquer ce qu'ils étaient.

— C'est ce que tu vas t'efforcer de découvrir, indiqua Grimbowl. Lie-toi d'amitié avec lui, essaie de trouver où il a eu l'idée pour son projet, puis dis-moi ce qu'il sait. Tu piges?

— Bien sûr, si tu veux, agréa Vincent. Pourquoi n'avez-vous pas placé un insecte dans son nez?

— Parce que… parce que nous t'avons attrapé en premier, se justifia l'elfe. Bigre, tu poses beaucoup de questions. Tu sais quoi? Je ne veux plus de questions, le jeune.

— Mais qu'est-ce… aarg!

— C'est ça, prononça Grimbowl. C'est ce que tu obtiens. Maintenant, cesse de te rouler sur le sol et de t'agripper la tête et va te lier d'amitié avec Barnaby.

Lorsqu'il en fut capable, Vincent se releva et se dirigea vers le stationnement de l'école. Barnaby s'y tenait toujours, en train de bavarder avec ses deux gardes du corps, Bruno et Boots.

— Je ne peux pas croire que je fais ça, marmonna Vincent alors qu'il approchait de son ennemi. D'une manière ou d'une autre, je dois sortir cet insecte de mon nez.

Barnaby le vit arriver et il prévint aussitôt ses gardes du corps de la présence de Vincent. Ce dernier réfléchit longuement, tentant de penser à ce qu'il devait dire. Jusqu'à quel point peut-on se lier d'amitié avec quelqu'un que l'on déteste? De quoi pourrait-on bien parler?

— Salut, Barnaby, articula Vincent, s'arrêtant net à deux mètres de lui. Quoi de neuf?

Barnaby le dévisagea avec une perplexité momentanée. Vincent considéra cela comme un bon signe et continua.

— C'est une belle journée, hein? dit-il, essayant d'esquisser un sourire sincère.

— Que veux-tu? questionna Barnaby.

— Rien, répondit Vincent en fixant les gardes du corps. Leur expression était indéchiffrable sous leurs lunettes de soleil, mais Vincent avait la nette impression qu'ils voulaient lui faire du mal. Un seul mot de Barnaby et ils seraient sur lui.

— Attrapez-le, ordonna Barnaby.

D'accord, peut-être deux mots.

— Attendez! cria Vincent alors que Bruno le saisissait par la chemise et le soulevait en l'air. Je voulais parler de ton projet de la foire des sciences.

— Par rapport à quoi? interrogea Barnaby, le regardant avec amusement tandis que son employé tournait Vincent à l'envers et le tenait par les pieds.

— C'était vraiment bon, dit Vincent pendant qu'il balançait sous la main de Bruno. C'est la deuxième fois maintenant que je me retrouve la tête à l'envers à cause des elfes, pensa-t-il. Je n'aime pas ça, je n'aime pas ça du tout.

— Bien sûr que c'était bon! se vanta Barnaby. J'avais le meilleur montage, la dernière technologie de pointe, le scénario de fin du monde le plus plausible.

— Je sais, reconnut Vincent. Mais je n'ai pas eu la chance de véritablement le regarder, parce que j'étais coincé à ma propre table. Je voulais seulement savoir si je pouvais jeter un coup d'œil à ton projet.

Barnaby parut considérer la supplication de Vincent. «Il croit ce que je raconte, songea Vincent. C'est le moment où jamais pour agir.»

— Je sais que nous n'avons pas toujours été d'accord, admit Vincent, mais je veux changer tout cela. Je pense que nous pourrions être amis.

— Amis? répéta Barnaby en riant. Moi, être ami avec un raté comme toi?

— Hé, je ne pensais pas grand-chose de mieux de toi, prononça Vincent, jusqu'à ce que je voie ton projet, ajouta-t-il précipitamment tandis que Bruno pressait vivement sa cheville. J'ai réalisé que les apparences étaient trompeuses. Donne-moi une chance et tu verras qu'il en va de même pour moi.

Barnaby réfléchissait aux paroles de Vincent alors que celui-ci demeurait patiemment suspendu, les doigts croisés pour la chance.

— Non, refusa Barnaby. Casse-toi, raté.

— Juste un moment, Barnaby.

Vincent, Barnaby et les deux gardes du corps se tournèrent vers la limousine. Un homme d'âge mûr, avec des cheveux gris gominés vers l'arrière et un costume de ville, venait de baisser la vitre arrière de la voiture.

— Tu ne peux pas prendre en défaut le garçon parce qu'il a du goût dans le choix de ses amis, indiqua l'homme, bien qu'il n'en ait manifestement pas dans le choix de ses vêtements.

Barnaby se mit à rire en entendant cela. Tout comme Bruno et Boots. Vincent fit semblant de sourire, mais le rire se situait juste un peu au-delà de ses forces.

— C'est mon père, annonça Barnaby. Il est l'un des cadres supérieurs de la société Alphega.

— Francis Wilkins, se présenta le père de Barnaby. Je te serrerais la main, mais…

— … je suis un peu accroché en ce moment ? termina pour lui Vincent.

— Pourquoi ne donnez-vous pas une chance à ce garçon ? proposa M. Wilkins, faisant un clin d'œil à son fils. Barnaby sourit et lui fit un signe de tête.

« Hum », pensa Vincent.

M. Wilkins remonta sa vitre et la limousine quitta le stationnement de l'école. Barnaby effectua un geste de la main et Bruno laissa tomber Vincent sur le pavé.

— D'accord, je te laisse une chance, accepta Barnaby. Mais tout d'abord, j'ai quelque chose à te faire faire, pour que tu prouves que tu es vraiment un type avec qui je peux m'entendre.

— Ouais? prononça Vincent, se relevant et se frottant la tête. Que veux-tu que je fasse?

— Je veux que tu battes quelqu'un pour moi.

— Que je batte quelqu'un? questionna Vincent.

— Tu as peur de te battre? demanda Barnaby, suite à quoi ses gardes du corps ricanèrent.

— Non, je n'ai pas peur, répondit Vincent.

— Bien, dit Barnaby. Dans ce cas, tu vas battre ton ami le gros Tom.

L'heure du déjeuner. En plein midi. Vincent marchait lentement autour des murs de l'école, le gros Tom sur les talons.

— Alors, quelle est cette chose que tu veux me montrer ?
demanda son meilleur ami.

— C'est tout près d'ici, indiqua Vincent, regardant droit devant lui.

Il ne pouvait pas croire qu'il faisait cela. Durant tous les cours de l'avant-midi, il avait appréhendé ce moment, et maintenant que l'heure était venue, il voulait vomir.

Il allait véritablement le faire. Il allait battre son meilleur ami.

— Est-ce vraiment quelque chose de spécial ? s'informa le gros Tom.

— En quelque sorte, répondit Vincent.

— Est-ce que je vais bien m'amuser ? s'enquit le gros Tom.

Vincent gémit.

— Nous devrions faire attention, prévint le gros Tom. C'est ici que cet idiot de Barnaby amène les jeunes à qui il veut casser la figure.

— Sans blague !

— C'est parce que les professeurs ne patrouillent pas dans ce secteur, poursuivit le gros Tom. Personne ne pourrait te voir si tu te faisais casser la figure.

— Ouais, prononça Vincent en se retournant. Ils se trouvaient assez loin, à présent. Le gros Tom avait raison : personne ne verrait quoi que ce soit.

Presque personne. Non loin de là, Vincent pouvait voir Barnaby et ses deux gardes du corps. Vincent avait dit à Barnaby qu'il casserait la figure du gros Tom à l'heure du déjeuner, et voici que Barnaby allait s'assurer qu'il allait le faire.

— Alors, où est cette fameuse chose ? interrogea le gros Tom, observant son meilleur ami avec ses grands yeux bêtes de chiot.

Vincent se retourna vers son ami. Pouvait-il réellement aller jusqu'au bout ? Devait-il vraiment le faire ? Vincent avait essayé de trouver une autre option tout l'avant-midi, mais rien n'était venu. L'ordre que Grimbowl lui avait donné consistait à se lier d'amitié avec Barnaby. La condition de ce dernier était qu'il devait casser la figure du gros Tom. Vincent savait que s'il ne le faisait pas, il ne gagnerait pas l'amitié de Barnaby, et sa tête exploserait de douleur.

C'était sans issue. Il devait le faire.

— Tu dois le faire, le jeune.

Vincent tourna la tête d'un coup sec pour regarder tout autour et vers le bas. Grimbowl se tenait à deux mètres derrière lui, en train d'observer la scène.

— Qu'est-ce que c'est? demanda le gros Tom. Est-ce la chose?

— C'est la chose, confirma Vincent, ayant une soudaine idée de génie. Dans un mouvement rapide, il fit une prise de tête au gros Tom et fixa la main sur ses yeux.

— Hé, dit le gros Tom. Qu'est-ce que tu…

— Chut, prononça Vincent. Tu vas lui faire peur.

— Lui?

— Une créature magique, précisa Vincent. Comme quelque chose qui sortirait d'un film fantastique. Et il se trouve juste en face de toi.

— Le jeune? intervint Grimbowl. Qu'est-ce que tu fais?

— Il va te parler si seulement tu écoutes bien, indiqua Vincent.

— Vraiment? s'étonna le gros Tom.

— Vincent…, reprit Grimbowl.

— Qu'est-ce que c'était? questionna le gros Tom.

« Parfait, pensa Vincent. Il croit qu'il va voir quelque chose. Il peut même entendre Grimbowl, maintenant. »

— Jette un coup d'œil, ordonna Vincent, et il retira sa main des yeux du gros Tom.

Ce dernier écarquilla les yeux. Puis, il les écarquilla encore plus. Grimbowl jeta un regard mauvais à Vincent, pas content du tout.

— Est-ce que cette chose est… vraie? s'informa le gros Tom.

— Cette chose, dit l'elfe, s'appelle Grimbowl.

Le gros Tom se montrait tellement surpris qu'il aurait effectué un pas vers l'arrière si Vincent ne l'avait pas retenu avec une prise de tête.

— Ça ne change rien, avertit Grimbowl. Tu dois encore lui casser la figure, Vincent.

— Quoi ? demanda le gros Tom, tournant la tête pour regarder son ami.

— Je dois le faire, répondit Vincent. C'est… une longue histoire.

— Non, ce n'est pas vrai, corrigea Grimbowl. Le jeune, Vincent doit te casser la figure pour que Barnaby se lie d'amitié avec lui.

— Hein ? croassa le gros Tom. Tu veux devenir ami avec cet abruti ?

— Ce n'est pas vraiment ça, rectifia Vincent, pivotant vers l'abruti en question. Barnaby semblait impatient, tout comme Bruno et Boots.

— Laisse-moi partir ! cria le gros Tom, et il commença à se débattre comme un fou. Le gros Tom, en plus d'être très rapide, était également un lutteur expert. Il était devenu si bon dans ce domaine que seuls les deux gardes du corps de Barnaby pouvaient le retenir avec succès.

— Arrête, dit Vincent en l'agrippant plus fort. Il savait que c'était sans espoir ; dans quelques secondes, le gros Tom prendrait la clé des champs et se sauverait, et Vincent ne pourrait pas l'attraper.

— Vincent, prononça Grimbowl, je t'ordonne de casser la figure à ton ami.

« Oh non, songea Vincent. Je suis à court de choix. »

Vincent saisit le devant de la chemise du gros Tom avec sa main libre, l'attira et mit son bras autour de lui, puis envoya son genou dans l'estomac de son ami. Le gros Tom se plia en deux et Vincent balança ses deux poings durement sur l'arrière de sa tête.

Le gros Tom s'effondra au sol. Vincent le retourna, s'accroupit sur sa poitrine et immobilisa ses bras avec ses genoux.

— Vincent, arrête, supplia le gros Tom en gémissant.

— Je suis désolé, répondit Vincent, et il lui décocha un autre coup de poing.

Vincent avait déjà lu que quand les tueurs en série étaient en train de tuer, leur esprit partait ailleurs et ils laissaient leur corps effectuer le travail. Il espérait que cela lui arriverait. Ce qu'il faisait le rendait malade.

Sûr que le gros Tom en avait eu assez, Vincent se redressa. Le gros Tom se trouvait étendu sur le sol et pleurait. Son nez saignait et son œil gauche était noir; il ne s'agissait pas de la pire raclée qu'il avait eue. Cela aurait pu être bien pire.

Du moins, c'était ce que Vincent se disait en lui-même.

— Bravo! cria Barnaby, applaudissant alors que lui et Boots marchaient vers la scène de la bagarre. Tu as vraiment donné une bonne leçon à ce petit raté.

— Vas-tu me montrer ton projet de la foire des sciences, à présent? demanda Vincent.

— Tu rigoles? Bien sûr que non! refusa Barnaby. Je voulais seulement voir si tu allais véritablement le faire.

Le choc sur le visage de Vincent fut tellement délectable pour Barnaby qu'il éclata de rire. Vincent leva un poing vers la brute, mais Boots lui saisit le bras et le tordit derrière son dos.

— Je l'ai, indiqua le garde du corps, et Vincent leva les yeux pour voir Bruno approcher avec un professeur. C'est le garçon qui a battu Thomas.

— Il semble que quelqu'un ait des ennuis, constata Barnaby, et il se remit à rire.

• • •

Vincent se tenait assis sur le banc à l'extérieur du bureau, en attente d'un jugement. Il pouvait obtenir une semaine de retenue, s'il avait de la chance. S'il n'avait pas de chance, le principal lui donnerait une sentence exemplaire et le ferait suspendre.

Mais ce ne serait pas le pire. On appellerait ses parents, et il passerait probablement le reste de sa vie normale dans la chapelle. Ce qui, si ce que les lutins avaient dit était vrai, ne serait pas si long.

— Ben, dis donc! Je vais écoper, réalisa Vincent.

— Tu n'as pas tort, là-dessus, confirma une voix familière.

Vincent commençait à avoir l'habitude des voix qui venaient d'en arrière et le prenaient au dépourvu. Il leva les yeux et vit le lutin Nod qui planait au-dessus de lui.

«Quoi encore?» songea-t-il.

— Ça n'a pas dû être agréable de recevoir l'ordre de faire du mal à ton ami, dit Nod en atterrissant sur le banc près de lui.

— Comment es-tu au courant de cela? questionna Vincent.

— Je t'ai suivi, expliqua Nod. Nous suivons toujours les gens qui ont un obyon à l'intérieur d'eux, au cas où on leur donnerait l'ordre de nous combattre. Tu n'as pas parlé à l'elfe de notre rencontre, n'est-ce pas?

— Nan, rassura Vincent. Ce qu'il ne sait pas ne me fera pas mal.

— Ou ne nous fera pas mal, ajouta Nod. Alors, pourquoi t'a-t-il donné l'ordre d'attaquer ce garçon?

Vincent parla rapidement au lutin de Barnaby et de son projet, de même que de sa vaine tentative de gagner sa confiance.

— Je ne pense pas que ce soit ton gouvernement, évalua Nod une fois que Vincent eut terminé. Même s'ils étaient au courant des portails et même s'ils voulaient les cacher, ils pourraient uniquement cacher les portails dans ce pays. Par contre, une grosse corporation, une corporation possédant des bureaux dans le monde entier, pourrait disposer des ressources pour dissimuler tous les sites du portail.

— Une grande compagnie…, prononça Vincent. Tu sais, le père de Barnaby travaille pour une très grande compagnie appelée la société Alphega. Leur siège social se trouve à Brampton. Pourraient-ils cacher les sites du portail ?

— Cela dépend, indiqua Nod. Quelle grandeur a leur siège social ?

— Il est grand, précisa Vincent. Vraiment grand. Il se souvenait des deux fois où sa famille était passée en voiture devant la structure imposante lors du trajet en direction de la salle de cinéma *Titanic*. Ils avaient fait beaucoup de protestations au *Titanic*.

— Alors, nous devrions vérifier, décida Nod tout en s'envolant en l'air. Allons-y.

Nod se dirigea vers la sortie la plus proche. Vincent se leva pour le suivre, puis il hésita. Il avait suffisamment d'ennuis comme ça. S'il quittait l'école maintenant…

— Les priorités, se dit Vincent. C'est la fin du monde, après tout.

Satisfait, il se précipita à la suite de Nod.

Le siège social de la société Alphega était un énorme édifice imposant situé à Brampton, une banlieue de Toronto. Il dominait les édifices industriels environnants et il se révélait trois fois plus grand que l'entrepôt le plus proche.

— Il y a de bonnes chances, estima Nod, que le portail se trouve à l'intérieur. Ils ont probablement construit cet édifice autour.

Vincent hocha la tête sans rien dire. Son attention se voyait dirigée sur l'entrée principale, où deux gardiens armés marchaient à pas mesurés dans les deux sens. Vincent s'accroupit près d'une voiture dans le stationnement, lequel couvrait encore plus d'espace que l'édifice lui-même. Il leur avait fallu deux heures, en prenant plusieurs autobus, pour parvenir au périmètre du terrain, et une autre demi-heure pour le traverser à pied. Et ce fut seulement quand ils arrivèrent qu'ils virent un autobus faire descendre des personnes devant l'entrée principale.

— Comment aurais-je pu le savoir ? se défendit Nod lorsqu'il fut confronté à la mauvaise humeur de Vincent. Je ne prends jamais l'autobus.

— Nous devons trouver une autre façon d'entrer, indiqua Vincent, surveillant tandis qu'un employé pénétrait par les portes principales. Regarde, il a dû montrer un laissez-passer à ces gardiens, puis il a dû utiliser un deuxième laissez-passer pour franchir les portes.

— N'était-ce pas le même laissez-passer ? demanda Nod.

— Non, répondit Vincent. C'était définitivement un deuxième laissez-passer.

— Pas de problème, prononça Nod. Nous allons attendre jusqu'à ce que quelqu'un sorte, puis nous allons le tabasser et prendre ses laissez-passer.

— Je ne pense pas que cela fonctionne, estima Vincent. Il y a probablement une photo, sur ces laissez-passer. D'ailleurs, tu es un lutin et j'ai quatorze ans. Nous aurons l'air un peu suspect.

— D'accord. Dans ce cas, nous allons battre les gardiens de sécurité, proposa Nod.

— Ça pourrait marcher, évalua Vincent, mais regarde ces caméras de surveillance. Nous n'irions pas très loin, même si nous pouvions nous introduire à l'intérieur.

— Eh bien, qu'est-ce que tu suggères ? s'enquit Nod. Le système de ventilation ?

— Ça marche uniquement dans les films, informa Vincent. Nous avons besoin de quelque chose de subtil, quelque chose d'inattendu, quelque chose… d'ingénieux.

— Mais j'aime tabasser les gens, dit Nod.

— Je suis sûr que tu en auras la chance bientôt, prédit Vincent. Écoute. Voici mon plan.

• • •

Vincent attendait dehors, dans le stationnement, pendant que Nod faisait ses affaires. Ils avaient dû attendre presque une heure avant que quelqu'un ne vienne, mais quand une femme approcha les deux gardiens de sécurité, Nod passa à l'action. Il vola derrière elle, invisible pour les gardiens, et suivit la femme à l'intérieur.

« Parfait », songea Vincent, puis il se mit en position. D'une seconde à l'autre, maintenant, les alarmes d'incendie allaient émettre leur signal d'alarme et tous les employés évacueraient les lieux. Lorsque cela se produirait, Vincent avancerait vers le côté de l'édifice. Nod briserait une fenêtre quelques étages plus haut, s'envolerait vers l'extérieur et désactiverait les caméras les plus proches, puis il descendrait et ramasserait Vincent. Tandis que tous les employés de l'édifice tourneraient en rond à l'extérieur, Nod transporterait Vincent là-haut vers la fenêtre brisée et ils se glisseraient à l'intérieur.

Et quand tous les employés reviendraient vers l'édifice, eh bien… Vincent espérait que lui et Nod auraient terminé à ce moment-là.

Alors, il attendit le bruit de l'alarme. Il resta accroupi à proximité d'une camionnette, surveillant la porte principale avec une telle intensité qu'il ne remarqua pas la créature qui s'était approchée en catimini par l'arrière jusqu'à ce qu'elle le lèche.

— Hé! cria Vincent, pivotant précipitamment et assénant un coup de pied au lécheur.

— Ouch! se lamenta la créature, chancelant vers l'arrière et agrippant sa tête. C'était une créature de la taille d'un elfe, ronde de corps et avec une énorme bouche. En fait, la plus grande partie de son corps était une bouche. Il s'agissait d'une chose qui ressemblait à un ballon de basket-ball rouge avec des bras, des jambes et une queue qui surgissait de ses côtés et de son dos. Elle aurait été drôle à observer s'il n'y avait pas eu ces trois rangées de dents inégales.

— Pourquoi as-tu fait ça? demanda Vincent en essuyant sa jambe.

— Aïe, fit la créature en secouant la tête. Ce qui voulait dire au fond qu'elle secouait son corps en entier. Vraiment… tu peux me voir!

— Ouais, et je peux te donner un coup de pied, avertit Vincent, et il mit sa menace à exécution. La créature s'éloigna en rebondissant, puis elle roula sous une voiture.

— Bon débarras! se félicita Vincent qui commençait à croire que les créatures fantastiques n'apportaient que des difficultés. Il examina sa jambe pour s'assurer qu'il ne souffrait pas d'éruption cutanée, puis il se tourna pour voir si les gardes avaient entendu quelque chose. À son grand soulagement, ils demeuraient à leur poste, inconscients de ce qui était survenu.

— Hé! Toi! invectiva la créature qui sortait en rampant de sous la voiture. Tu vas payer pour ce que tu as fait. Tu vas payer. Ce n'est pas parce que je ne peux pas te mordre maintenant que je ne pourrai pas te croquer à pleines dents plus tard.

— De quoi parles-tu ? demanda Vincent.

— Cela veut dire que je vais me souvenir de toi, mon gars, annonça la créature. Et crois-moi, je m'en souviendrai, n'aie crainte. Nous, les démons, avons la mémoire très longue.

— Eh bien, rappelle-toi ceci, prononça Vincent, levant sa botte pour lui assener un autre coup de pied. Puis, les mots de la créature l'atteignirent et il s'arrêta net. Tu es un démon ?

— J'en suis un, affirma le démon. Mon nom est Rennik. Souviens-toi de cela. J'aime que ma proie sache qui la mange.

Vincent se rappelait de tout ce que les lutins lui avaient dit au sujet des démons. Ils détruiraient le monde à la fin de chaque époque pour ouvrir la voie aux prochaines espèces. Vincent remit son pied à terre et recula. Il avait tellement peur qu'il n'entendit presque pas le léger bourdonnement de l'alarme d'incendie ou le bruit de centaines de pas.

— Quoi ? dit-il. Il jeta un coup d'œil rapide aux alentours de la camionnette et vit les employés d'Alphega qui évacuaient l'édifice. C'était le moment et il devait y aller. Il se retourna vers Rennik, mais le démon s'était éclipsé.

— C'est bizarre, constata Vincent, puis il se hâta pour aller à la rencontre de Nod.

Quand il arriva à côté de l'édifice, il découvrit que Nod n'avait pas encore brisé de fenêtre. Il remarqua également que le lutin n'avait pas désactivé une seule caméra. Vincent se cacha derrière une autre voiture, espérant qu'il n'avait pas déjà été vu.

« Qu'est-ce qui l'empêche d'agir ? » se demanda Vincent alors qu'il se dissimulait. Le plan était tellement simple, il ne pouvait pas l'avoir raté. Vincent pivota vers l'entrée, où les employés défilaient toujours vers l'extérieur. Si Nod ne se dépêchait pas, ils commenceraient à revenir à l'intérieur et leur opportunité serait perdue.

Un fracas bruyant lui fit lever les yeux. Nod fonçait à toute allure au-dessus de lui et Vincent ne l'avait jamais vu se déplacer aussi vite. Vincent s'interrogea un instant sur ce que l'elfe allait faire, et ce fut alors qu'il distingua le démon. Celui-ci volait derrière Nod grâce à des ailes semblables à celles d'un dragon, et il se rapprochait.

Vincent se leva et courut, se moquant de savoir si les caméras le voyaient tandis qu'il poursuivait les créatures volantes. Il gardait les yeux fixés sur les deux personnages, déterminé à ne pas les perdre de vue.

Là-haut, le démon avait pratiquement rattrapé Nod. Une seconde avant que ses dents puissent se refermer sur ses jambes, Nod se retourna à quatre-vingt-dix degrés et piqua directement vers le bas. Le démon resta suspendu un moment, comme s'il essayait de comprendre ce qui s'était produit. Puis, il baissa les yeux, repéra le lutin volant et se précipita à sa suite.

Nod effectua un autre tour à quatre-vingt-dix degrés à la toute dernière seconde et se mit à voler au ras du sol, sous les voitures stationnées. Le démon évoluait au-dessus des voitures, à la même vitesse que le lutin. Nod vira brusquement vers la droite pendant qu'il se trouvait sous un camion, semant le démon durant une autre seconde avant qu'il ne retrouve sa piste de nouveau.

— Je peux te goûter, maintenant, indiqua le démon en agitant sa langue dans l'air. Tu ne peux pas te cacher de moi.

Nod fit un autre tour et fonça à toute allure entre les pieds de Vincent. Vincent leva les yeux et aperçut le démon se diriger vers lui comme un boulet de canon. Sans même réfléchir, il bondit en l'air, directement dans la trajectoire du démon.

Le démon heurta brutalement la poitrine de Vincent, et ce fut la dernière chose dont ce dernier se souvint pendant un bon bout de temps.

Vincent se réveilla dans un brouillard de douleur. Sa poitrine lui faisait très mal et son corps tout entier paraissait bizarre. Il semblait léger, presque comme s'il volait. Il ouvrit les yeux pour voir si c'était le cas.

C'était le cas.

— Ahhhh! prononça-t-il, baissant les yeux vers l'autoroute en dessous de lui. Il se trouvait à au moins cent mètres de hauteur et il avançait à bonne vitesse.

— Cesse de pleurnicher, ordonna Nod en arrière de lui. Je ne te laisserai pas tomber.

— Tu me transportes? interrogea Vincent. Il regarda en arrière et put seulement voir que le lutin le tenait par les pantalons. J'avais oublié combien vous êtes forts.

— Ouais, nous sommes vachement robustes, confirma Nod.

— Tu ferais mieux de me déposer avant que quelqu'un ne nous voie, avertit Vincent. Nous sommes au-dessus de l'autoroute 400. Il pourrait y avoir des accidents.

— Personne ne va nous voir, rassura Nod. Les gens voient ce qu'ils veulent voir, et ils ne veulent pas voir un jeune voler au-dessus d'eux.

— Oh, réalisa Vincent. Cela semblait avoir du bon sens, même si cela n'en avait pas vraiment. Chanteuse lui avait dit qu'il n'y avait pas beaucoup de gens qui pouvaient voir les créatures fantastiques. Un jeune transporté par un lutin correspondait manifestement à cette catégorie.

Vincent massa sa poitrine. Elle lui faisait très mal et il ne pouvait pas se rappeler tout à fait pourquoi.

— Que m'est-il arrivé? questionna-t-il. J'ai sauté en l'air pour arrêter ce démon…

— Et tu as réussi, lui dit Nod. Merci, au fait. Tu m'as sauvé la vie.

— J'ai fait ça? s'étonna Vincent. Parler lui faisait mal, même respirer, mais il ne pouvait pas s'en empêcher. J'ai rencontré un démon dans le stationnement un peu plus tôt. Il ne paraissait pas si robuste.

— C'est parce que c'est encore ton époque, informa Nod. Les démons ne peuvent pas t'attaquer tant que tes portails ne seront pas tombés. Ils reçoivent une déflagration magique de douleur s'ils essaient. Mais quand ton époque prend fin, ils deviennent ton pire cauchemar.

— Je pensais que tu avais dit qu'ils ne venaient pas avant que les portails se ferment, fit remarquer Vincent.

— La plupart viennent à ce moment, expliqua Nod, puis ils retournent à l'endroit d'où ils viennent. Mais certains choisissent de demeurer sur Terre afin de pourchasser ceux qui ont fui leur fureur. Nous ne pouvons pas les combattre, ils sont trop puissants, même pour nous. Tout ce que nous pouvons faire, c'est fuir et espérer qu'ils ne nous attrapent pas. Ou qu'ils ne nous goûtent pas.

— Qu'ils ne vous goûtent pas ?

— Ouais, ils peuvent nous goûter, indiqua Nod. La langue d'un démon est un meilleur traqueur que le nez d'un chien. Tout ce qu'il doit faire, c'est de goûter un endroit où tu es allé et il peut te traquer sur plusieurs kilomètres.

— Est-ce que c'est ce qui est arrivé dans l'édifice ?

— Ouais, confirma Nod. Cet endroit grouille littéralement de démons. Je suis resté caché derrière les gens et sous les bureaux jusqu'au moment où j'ai cru que la voie était libre, puis je suis allé chercher l'alarme d'incendie.

— Et la voie n'était pas libre ?

— Presque. J'ai vu le démon juste après avoir tiré sur l'alarme. Il avait la langue sortie et il a senti que quelque chose se préparait. Je me suis dissimulé, mais il a alors léché la poignée de l'alarme et a goûté ma saveur. Je n'avais qu'un seul choix : m'enfuir loin de lui. Et quand ce démon viendra, il viendra pour moi.

— Oh non, dit Vincent.

— N'aie pas peur, on l'a semé pour un certain temps, le rassura Nod. Nous avons du temps. Je vais t'amener chez toi, puis je devrai filer.

— Les autres lutins ne peuvent-ils pas t'aider ? demanda Vincent.

— Pas contre un démon, répondit Nod. Il obtiendrait leur saveur, puis il les pourchasserait tous un à la fois. Il vaut mieux que je m'enfuie seul.

— Il doit y avoir quelqu'un qui peut t'aider, suggéra Vincent, baissant les yeux vers le monde en dessous. Ils avaient atteint l'intersection de Dufferin et Steeles, et on distinguait un grand supermarché.

Un supermarché de la société Alphega.

— C'est ça! réalisa Vincent. Fais-nous descendre, Nod. La seule personne qui peut t'aider est là-dedans.

• • •

Le supermarché était l'un des plus grands que Vincent ait jamais vu. Des allées de denrées alimentaires s'étiraient aussi loin que l'œil pouvait voir, dans toutes les directions, et elles se trouvaient en face d'une ligne de caissiers. Des centaines de clients s'affairaient çà et là avec leurs sacs, leur panier et leur chariot, et les employés dans des uniformes orange d'un goût douteux s'affairaient tout autour d'eux, essayant de faire leur travail.

— Est-ce que l'expression «une aiguille dans une botte de foin» veut dire quelque chose pour toi? demanda Nod tandis qu'il passait en revue le magasin de son poste d'observation, sur l'épaule de Vincent.

Vincent ne répondit pas; il restait tout simplement là, debout, agrippant sa poitrine. La douleur l'avait frappé beaucoup plus fort lorsqu'ils avaient atterri dans le stationnement, et la brève visite avait constitué une pure torture. Nod avait dit qu'il s'agissait d'une bonne chose — plus Vincent ressentait de la douleur, plus le démon en éprouverait —, mais Vincent n'avait pas trouvé ce brin d'information réconfortant.

— C'est par là, indiqua-t-il d'une voix rauque, et il marcha d'un pas chancelant vers l'avant. Nous allons nous informer pour voir si elle est ici, puis nous irons la rejoindre.

Ils approchèrent du premier caissier. Celui-ci avait l'air d'avoir environ vingt ans, d'être fatigué et stressé. Il effectuait un scannage rapide des articles avec des bras épuisés, jetant pratiquement les articles dans les sacs pour le client qui se situait près de sa caisse. Deux grands moniteurs se trouvaient au-dessus de sa caisse enregistreuse; l'un d'eux affichant les items scannés et leur prix, et l'autre qui demeurait blanc.

— Excusez-moi? demanda Vincent. Le caissier l'ignora et continua son boulot.

— Monsieur? tenta à nouveau Vincent, donnant une petite tape sur l'épaule de l'homme.

— Quoi? Le caissier se retourna vivement, son irritation manifeste.

— Je dois savoir si Chanteuse Sloam travaille aujourd'hui, indiqua Vincent.

— Ouais, je pense, répondit le caissier, puis il retourna rapidement à sa tâche.

— Pouvez-vous me dire où elle se trouve? questionna Vincent.

— Je ne sais pas, dit le caissier en pivotant vers Vincent. Elle travaille aux caisses. Tu n'as qu'à aller et venir dans le magasin. Tu la trouveras nécessairement…

Tout d'un coup, le moniteur blanc se mit en marche. Une maquette digitalisée du père de Barnaby Wilkins apparut sur l'écran, arborant un froncement de sourcils réprobateur.

— Robert Landers, prononça le M. Wilkins pixélisé, tu négliges ton client. Une réduction d'une heure de paie sera appliquée à ton compte.

— Oh, génial, dit le caissier avec ironie alors que l'écran redevenait blanc. Merci beaucoup, le jeune.

Vincent se dépêcha, se sentant coupable. Ce type s'était fait couper son salaire tout simplement parce qu'il avait parlé avec lui? Quelle sorte de monstres déments dirigeaient cet endroit? Oh, c'est vrai, la société Alphega.

Il approcha d'une autre caissière, déterminé à être plus rapide.

— Où est la caisse de Chanteuse? s'informa-t-il auprès d'une adolescente qui bossait tout aussi furieusement à sa caisse.

— Quoi? demanda la fille, ne détachant pas les yeux des articles en face d'elle.

— Chanteuse Sloam, prononça Vincent. Où est-elle?

— Là-bas, quelque part, je crois, indiqua la fille précipitamment, effectuant un geste de la main gauche.

— Pouvons-nous continuer avec ça, s'il vous plaît? demanda le client.

— Désolée, monsieur, s'excusa la caissière, mais pas assez rapidement.

— Bridget Auer, intervint M. Wilkins sur le deuxième écran, ton client a exprimé du mécontentement par rapport à ton service. Il s'agit de ta troisième violation aujourd'hui. Je te confirme, par la présente, que tu subiras une retenue d'une journée entière sur ton salaire.

La fille gémit et commença à mettre les articles du client dans des sacs. Vincent repartit, suivant ses instructions imprécises.

— Heu, le jeune, suggéra Nod, ne pourrais-tu pas marcher plus vite? Ce démon s'est probablement rétabli maintenant, et il lui faudra seulement quelques secondes pour retracer ma saveur.

Vincent geignit et serra sa poitrine, mais il se débrouilla pour se déplacer plus rapidement. Après tout, il y avait en jeu bien plus que la seule vie de Nod. C'était la fin du monde et le lutin représentait sa meilleure chance de découvrir le portail ainsi que la sécurité.

Pour chasser de son esprit l'approche imminente de l'apocalypse, Vincent repensa aux événements qui étaient survenus à la société Alphega, et il en arriva à une conclusion.

Il était assez sûr que le démon qui l'avait léché, Rennik, n'était pas le même que celui qui s'était lancé à la poursuite de Nod. Ce démon était venu de l'intérieur de l'édifice, tandis que Rennik s'était trouvé dans le stationnement. Nod avait dit que l'édifice grouillait de démons, ce qui suggérait qu'ils se tenaient là pour une raison.

Il y avait fort à parier qu'ils étaient des gardiens. Et pourquoi une compagnie comme Alphega aurait-elle eu des démons comme gardiens? Pour garder à l'écart des créatures comme les lutins et les elfes et les maintenir loin, très loin.

Avant que Vincent n'ait pu exprimer cette pensée, il aperçut Chanteuse à la caisse enregistreuse en face de lui. Elle enregistrait les articles d'épicerie aussi vite que les autres caissiers et Vincent dut prononcer son nom trois fois avant qu'elle ne l'entende et regarde autour d'elle.

— Tiens, Vincent! constata-t-elle. Comme c'est agréable de te voir. Et tu as un petit ami.

— Oui, c'est Nod, indiqua Vincent en désignant le lutin sur son épaule. Nod, je te présente Chanteuse.

— C'est un plaisir pour moi de vous rencontrer.

— Chanteuse Sloam, interrompit M. Wilkins sur son deuxième écran, tu négliges tes clients. Une réduction d'une heure de paie sera appliquée à ton compte.

— Désolé, fit Vincent.

— Ne fais pas attention à lui, dit Chanteuse. Je sais par ton aura que quelque chose ne va pas.

— Nous avons besoin de ton aide, expliqua Vincent. Peux-tu t'échapper? C'est vraiment important.

— Laissez-moi finir avec ce client, annonça Chanteuse, puis je vais prendre ma pause.

Chanteuse scanna le reste des articles du client, puis elle plaça sa pancarte « caisse fermée ». Cela ne convenait pas très bien puisqu'il y avait une file d'attente à sa caisse, et particulièrement pour la femme bien en chair qui avait déjà disposé la plupart des articles de son épicerie sur le tapis roulant.

— Je suis sincèrement désolée de vous incommoder, prononça doucement Chanteuse. Un autre de nos caissiers se fera un plaisir de vous aider.

— Chanteuse Sloam, intervint encore Wilkins, ton client a exprimé du mécontentement par rapport à ton service. C'est ta deuxième violation aujourd'hui. Une réduction de trois heures de paie sera appliquée à ton compte.

— Je ne veux pas te causer d'ennuis, s'excusa Vincent.

— Si c'est assez important pour que tu sois venu ici me trouver, raisonna Chanteuse, alors je prendrai le temps qu'il faudra pour toi.

Vincent oublia momentanément les douleurs à sa poitrine quand il entendit cela. Très peu de personnes lui offraient ce niveau de respect. Surtout si elles se révélaient aussi mignonnes que Chanteuse.

— Chanteuse Sloam, avertit le M. Wilkins digitalisé, étant donné l'abandon persistant de ton devoir, ton gérant a été avisé. Tu seras…

— Oh, la ferme, prononça Chanteuse, et elle éteignit l'écran.

Le supermarché possédait son propre café, restauration rapide incluse, distributeur de sodas, de même qu'un grand espace pour s'asseoir et manger. Après avoir acheté deux racinettes pour Vincent et Nod (« Tu parles si j'aime ce breuvage ! Qui n'aime pas ça ? » avait demandé Nod) et un jus d'orange pour elle-même, Chanteuse les amena vers une table du fond.

— C'est une longue histoire…, débuta Vincent.

— Et nous n'avons pas le temps de la raconter, interrompit Nod. Un démon me pourchasse et j'ai besoin d'aide pour le secouer. Peux-tu faire cela ?

— Un démon ? répéta Chanteuse. Ne sois pas stupide. Les démons sont purement imaginaires.

À ce moment précis, il y eut un fracas bruyant et le plafond au-dessus de l'allée des céréales s'effondra. Les clients poussèrent des cris d'effroi, mais ils ne distinguèrent pas les trois démons qui s'infiltraient en volant à travers le trou béant. Par contre, Vincent et Nod les virent, et d'après l'air qu'elle affichait sur son visage, Chanteuse les voyait elle aussi.

Le démon le plus à l'avant du trio fit tournoyer sa langue en l'air, puis il l'orienta dans leur direction.

— Ceux-ci ne sont pas purement imaginaires, constata Vincent alors que les démons venaient vers eux.

Pendant que les démons se dirigeaient lentement vers le café du supermarché, leurs langues remuant devant eux comme les antennes d'un insecte, Vincent eut assez de temps pour être déçu. Il avait pensé que Chanteuse savait tout ce qu'il y avait à savoir à propos des créatures fantastiques, mais elle n'avait pas su au sujet des démons. Cela avait bouleversé son monde et il se demandait si elle connaissait vraiment quoi que ce soit dans ce domaine. Après tout, elle avait pensé que les elfes correspondaient à des personnages amicaux, avant qu'ils n'enfoncent un insecte dans son nez.

Il se montrait déçu, d'accord, mais il était assez intelligent pour savoir qu'il n'avait pas le temps de s'éterniser sur de telles choses. Ils devaient faire quelque chose, et vite.

— Nous devons faire quelque chose, annonça Vincent. Et vite.

— Vincent..., prononça Chanteuse, et il put voir qu'elle était très effrayée.

— Ils ne peuvent pas nous faire mal, la rassura-t-il. Pas sans se faire mal eux-mêmes. Mais ils peuvent faire mal à Nod. C'est la raison pour laquelle ils sont là.

Les démons dérivèrent de plus en plus près, leurs langues flottant au-dessus de la foule qui s'était formée sous eux. Les gens fixaient du regard le trou dans le plafond, inconscients des créatures qui se déplaçaient lentement dans la direction de Vincent.

«Qu'est-ce qui leur prend autant de temps?» se demanda Vincent. Il avait cru que les démons fonceraient droit sur eux, quand au lieu de cela, ils prenaient leur temps. On aurait presque dit qu'ils cherchaient dans une pièce obscure, ne voyant pas leur cible, mais connaissant son emplacement approximatif.

Vincent baissa les yeux vers la table et il vit Nod se recroqueviller dans son verre de racinette. Il était immergé jusqu'à la hauteur de ses yeux dans le liquide pétillant, et la première pensée de Vincent fut que ses ailes seraient toutes collantes. Il leva les yeux et distingua les démons qui s'étaient arrêtés trois tables plus loin, puis il réalisa quelque chose.

La racinette masquait la saveur du lutin. Pas complètement — les démons savaient encore l'emplacement général de Nod —, mais ils ne pouvaient pas le capturer. Vincent baissa la tête vers le verre et murmura rapidement.

— Ne bouge pas, recommanda-t-il. Reste dans le verre. Je vais te sortir de là.

Vincent remit le couvercle sur le verre de Nod, l'enfermant à l'intérieur. Ensuite, il se leva et fit signe à Chanteuse de le suivre. Ils marchèrent lentement vers la sortie, gardant l'œil sur les démons qui planaient.

— Je pourrais peut-être accomplir une formule magique de dissimulation, suggéra Chanteuse alors qu'ils se déplaçaient. Si cela fonctionne, ça pourrait masquer la présence de ton ami.

— Commençons tout simplement par sortir d'ici, dit Vincent. La sortie se situait à seulement quelques mètres de distance, mais que se passerait-il ensuite? Les démons pourraient encore suivre Nod et ils étaient plus rapides que lui. Le lutin devrait passer le reste de sa vie dans le verre, et même cela ne se révélerait pas suffisant. Les choses semblaient mal aller pour Nod, c'était entendu, mais s'ils parvenaient à se rendre à la sortie, il pouvait avoir une chance.

— Hé! Chanteuse! Où est-ce que tu penses que tu t'en vas?

Vincent pivota et vit un grand homme maigre avec une barbe et un air désapprobateur qui s'en venait vers eux. Inutile de préciser qu'il s'agissait du gérant de Chanteuse. Ce sont des choses que vous savez, tout simplement.

— Monsieur Lunts, je…, débuta Chanteuse.

— Tout d'abord, tu as renvoyé un client pour aller parler à ton copain, indiqua M. Lunts, puis tu n'es pas là pour nous aider à maintenir l'ordre durant une crise. Tu n'as pas vu ça? Il désignait du doigt le plafond défoncé sans détourner les yeux — ou son froncement de sourcils — de Chanteuse.

— J'ai bien vu…, amorça Chanteuse.

— Tu as vu ça, mais tu n'es pas venue pour aider les clients, blâma M. Lunts. Tu étais tout bonnement trop occupée à parler à ton copain durant une pause imprévue. Ça va te coûter cher, jeune fille.

Vincent regarda devant M. Lunts et aperçut les démons. Ils s'étaient tournés dans sa direction et s'avançaient lentement.

— Nous n'avons pas de temps pour ça, dit Vincent. Monsieur, nous avons…

— La ferme, le jeune, gueula M. Lunts. Chanteuse, ce que tu devais faire…

— Monsieur Lunts, intervint Chanteuse avec une intensité qui surprit son gérant et Vincent, il n'est pas nécessaire d'être grossier.

— Ne m'interromps pas, s'insurgea M. Lunts, lui donnant un coup avec le doigt. Tu as suffisamment d'ennuis comme ça.

Vous n'en savez pas la moitié, songea Vincent alors que les démons s'approchaient.

— Nous devons partir, annonça-t-il, prenant la main de Chanteuse.

— Tu peux partir, je m'en fiche, répliqua M. Lunts, mais toi, Chanteuse, tu vas nous aider à nettoyer l'endroit, puis nous aurons une conversation dans mon bureau.

— Je suis désolée, monsieur Lunts, prononça Chanteuse, mais…

— Ne sois pas désolée, sois occupée, rectifia M. Lunts.

— Nous devons y aller ! s'impatienta Vincent, tirant le bras de Chanteuse. Oublie cet idiot.

— Idiot ?!? vociféra M. Lunts. Écoute, espèce de petit crétin…

— Monsieur Lunts ! coupa sèchement Chanteuse.

— Surveille cette attitude, jeune fille, prévint M. Lunts, ou tu auras de graves ennuis.

— Oh, la ferme, dit Nod, sortant vivement du verre de racinette et s'accrochant solidement sur le menton de

M. Lunts. Le gérant du magasin sursauta et fit un bond vers l'arrière, heurtant de plein fouet les deux démons qui approchaient.

— Te voilà ! s'écria en rugissant le troisième démon. Bix va t'attraper maintenant, lutin !

— Mince alors ! hurla Nod avant de s'enfuir.

Le démon appelé Bix partit à la poursuite du lutin, puis s'immobilisa tout d'un coup quand Vincent saisit sa jambe.

— Lâche-moi ! cria-t-il, enfonçant ses griffes dans les bras de Vincent. Celui-ci hurla et le relâcha, mais Bix hurla pareillement tandis que la douleur magique s'emparait de lui.

— Je pensais que tu avais dit qu'ils ne pouvaient pas te faire mal ! s'étonna Chanteuse en voyant le sang sur le bras de Vincent.

— Ils ne sont pas autorisés à le faire, expliqua Vincent alors qu'il dérobait une vadrouille à un employé stupéfait. C'est la raison pour laquelle il a mal, lui aussi. Vincent fit virevolter la vadrouille dans un mouvement circulaire et frappa le démon directement entre les ailes. Bix tomba, rebondissant comme une balle de caoutchouc lorsqu'il heurta le sol, atterrissant ensuite près d'un chariot abandonné. Vincent renversa rapidement le chariot, recouvrant le démon sous une montagne de cartons de lait, de viande surgelée, de légumes, de boîtes de céréales et de puddings en coupes, avant d'emprisonner la bête avec le panier du chariot.

Un d'éliminé. Mais deux demeuraient encore en liberté.

Ces deux démons sortirent en rampant de sous le gérant du magasin, secouèrent leurs ailes et s'envolèrent. Vincent fonça vers eux, balançant la vadrouille comme un professionnel, mais les démons s'éloignèrent trop vite.

— Espèces de rats ! rugit Vincent. Chanteuse, nous devons…

Mais Chanteuse n'était nulle part. Vincent grommela, puis se précipita à la poursuite des démons. Il espérait que Nod n'avait pas déjà fui le magasin, parce qu'il disposait d'un autre plan.

Il y avait un émoi bruyant provenant de plusieurs allées plus loin. Vincent courut, la vadrouille à la main, vers un grand nuage de farine, de poudre à pâte et de mélange à pudding. Quand il arriva, il vit un des démons qui se frottait les yeux, aveuglé. Manifestement, Nod avait préparé un piège efficace. L'autre démon, de même que Nod, étaient partis.

— Bats-toi, dit Vincent tandis que le démon parvenait à sa portée. Il donna un coup de vadrouille et frappa un coup de circuit en plein dans la bouche du démon. Celui-ci mordit violemment au moment même où la vadrouille le heurtait, mâchant l'extrémité des franges avant d'être propulsé au loin par-dessus les allées.

— Deux d'éliminés, prononça Vincent, jetant l'instrument de nettoyage désormais inutile et continuant son chemin.

Quelques allées plus loin, Vincent ramassa une bouteille de vaporisateur de fromage fondu. Cela couvrirait la première partie de son plan. Puis, il prit une boîte de crème fouettée et une bouteille de ketchup en plastique souple. Parfait. À présent, tout ce qu'il devait faire consistait à trouver Nod.

Pendant qu'il pensait tout cela, Nod passa à toute vitesse sur le plancher devant lui et disparut sous l'allée suivante. Le démon fonça à travers l'allée en face de Vincent, faisant chuter sur lui des récipients de condiments à l'instant même où la créature entrait en collision avec l'allée suivante, poursuivant Nod.

Vincent se mit à leurs trousses, tenant ses articles sous un bras et pressant l'autre contre sa poitrine meurtrie. La douleur était intense et il ne savait pas s'il pourrait continuer longtemps ainsi.

Alors qu'il passait devant les herbes et les épices, il vit Chanteuse assise sur le sol dans sa pose méditative. Elle avait enlevé son tablier de travail et l'avait placé par terre en face d'elle, et plusieurs minuscules salières à épices s'étalaient autour d'elle. Pendant que Vincent l'observait, elle souleva l'un des récipients et saupoudra son contenu sur le tablier. Vincent voulut lui demander ce qu'elle allait faire, mais Nod avait besoin de lui et c'est pourquoi il se remit à courir.

«Ouf, pensa-t-il, cet endroit est immense!» Il s'épuisait lui-même en essayant de suivre Nod et le démon. Ils pouvaient voler très vite, contrairement à lui.

Le magasin était maintenant presque vide. Plusieurs personnes s'étaient enfuies vers les sorties quand les démons s'étaient précipités à travers le plafond, et les autres s'étaient mises à courir lorsque Nod et le démon avaient commencé à tout renverser dans le magasin. Ils y avaient causé tout un désordre et il faudrait des semaines pour en faire le nettoyage.

Bien sûr, ils n'avaient pas des semaines. Avec la fin du monde imminente, ce magasin fermerait probablement pour de bon.

Quand il arriva dans la section de la production, il vit Nod se précipiter vers le kiosque des melons et plonger en dessous à la dernière fraction de seconde. Le démon entra en collision avec les melons, puis il se mit à tourner en tentant de décoincer un melon de ses cornes.

Vincent saisit la chance au vol. Il courut vers la créature au moment même où elle projetait le melon au loin, et il l'aspergea avec le fromage.

— Beurk! cria le démon, serrant ses yeux qui piquaient. Vincent fit jaillir de nouveau le fromage, cette fois dans la bouche.

— Essaie donc de goûter à travers cette chose, dit Vincent alors qu'il observait le démon s'étrangler.

« C'est le troisième », pensa Vincent, puis il se tourna pour trouver Nod.

Vincent repéra Nod qui volait vers le département de la boulangerie. Le lutin évoluait très lentement, loin de la vitesse à laquelle il se déplaçait une minute plus tôt. Alors que Vincent le rattrapait, Nod descendit sur un pain cuit récemment.

— Je ne peux pas… continuer, haleta le lutin, à présent immobile. Laisse-moi… Sauve-toi.

— Pas question, rétorqua Vincent. J'ai une idée. Ne bouge pas. Il déboucha sa bouteille de ketchup, puis la dirigea vers Nod et la pressa.

— Hé! Mupgh…, prononça Nod pendant qu'il se faisait recouvrir du condiment.

— Je t'ai dit de ne pas bouger, avertit Vincent alors qu'il l'éclaboussait. Cela va masquer ta saveur pour qu'ils ne puissent pas te retrouver.

— Beurk, prononça Nod, se levant et se débarrassant d'une partie de la substance visqueuse. C'est dégueulasse, mais c'est une bonne idée, Vincent. Merci. Et maintenant?

— Et maintenant, nous te mangeons! rugit Bix d'en haut.

Vincent leva les yeux juste à temps pour voir le démon descendre un chariot renversé sur lui. Vincent fut forcé de se mettre à genoux, se faisant épingler, mais il ne fut pas blessé. Bix se tenait debout sur le dessus du chariot et le maintenait en place.

— Zut! s'exclama Nod, puis il sauta en l'air. Il voulait voler, mais le ketchup avait collé ses ailes et elles ne fonctionnaient pas comme il le souhaitait. Il frappa durement le sol, se remit sur pieds et boitilla comme il le pouvait.

— Laissez-moi sortir! cria Vincent, secouant sa prison.

— Je ne pense pas, répondit Bix avec un sourire suffisant.

— Tu ne peux pas pourchasser mon ami pendant que tu es là-haut, lui fit remarquer Vincent.

— Peut-être bien, concéda le démon, mais ça n'arrêtera pas mes amis.

Vincent regarda tout autour et distingua les deux autres démons qui s'en venaient en volant. L'un d'eux avait encore des franges de la vadrouille dans sa gueule et l'autre léchait absolument tout ce qu'il pouvait afin de se débarrasser du fromage fondu qu'il avait sur la langue. Vincent avait pensé (espéré) qu'ils étaient assommés, mais les démons se révélaient manifestement plus forts qu'ils n'en avaient l'air.

Et ils paraissaient dangereux.

— Par là! les informa Bix, indiquant la direction dans laquelle le lutin était parti.

« Descends de là ! » rugit Vincent, poussant brutalement sur le chariot que Bix avait fait tomber sur lui. C'était inutile ; le démon était trop fort et Vincent n'avait pas de prise pour ses bras.

— Cesse de te débattre, ordonna Bix. Détends-toi et observe mes amis dévorer le tien.

— Ils ne le retrouveront jamais, dit Vincent au démon. J'ai masqué sa saveur.

— Ils n'ont pas besoin de le goûter, indiqua le démon. Ils n'ont qu'à suivre le ketchup.

C'était vrai. Nod avait laissé une piste visible de gouttes de condiment que le dernier des imbéciles aurait pu suivre. Vincent secoua en vain sa prison de métal, réalisant que non seulement son ami était sur le point de se faire manger, mais qu'en plus, lui, Vincent, l'avait rendu plus savoureux.

Les deux démons suivirent la piste en dépassant le chariot de melons et en contournant le coin d'une allée. Vincent cessa de lutter et attendit le hurlement du lutin.

Il ne vint pas. Les minutes passèrent, et il ne se produisit toujours pas. Finalement, les deux démons réapparurent au bout de l'allée, l'air ahuri.

— Vous l'avez perdu ? s'informa Bix, incrédule.

— Nous sommes désolés, Bix, prononça l'un des démons qui revenaient. La piste s'est terminée et il n'était tout simplement pas là. Pas de saveur résiduelle, rien.

— Nous avons regardé partout, ajouta l'autre. Il est tout bonnement parti.

— Imbéciles ! cria Bix. Je vais le repérer. Il tira la langue et l'agita, mais après un moment ou deux, il arrêta.

— C'est le ketchup, annonça Vincent triomphalement.

— Non, c'est impossible, rétorqua Bix. Même masquée, sa saveur persisterait encore dans l'air. Non, il s'est transporté au loin d'une manière ou d'une autre. Mais il ne peut se cacher pour toujours, mon garçon. Et toi non plus. Tu t'es fait un ennemi aujourd'hui, et d'ici deux jours, tu le paieras très cher.

Les yeux de Vincent s'agrandirent et son cœur et son estomac se serrèrent. Deux jours ? C'était tout le temps qui restait à la race humaine ? Il remarqua à peine que les démons s'en allaient en volant, tant il était renversé. Il recommença seulement à être conscient de son environnement lorsque le chariot fut soulevé soudainement et qu'il en fut libéré.

— Vas-tu demeurer là pour l'éternité ? interrogea la voix de Nod bien distinctement, mais quand Vincent se leva et regarda autour de lui, il ne put voir le lutin. Ni personne d'autre, d'ailleurs.

— Par ici, Vincent, indiqua Chanteuse, et alors Vincent la vit qui tenait le chariot. Il y avait quelque chose de bizarre avec elle. Vincent avait l'impression que s'il détachait ses yeux d'elle pendant un instant, elle disparaîtrait.

— C'est un sort de dissimulation, expliqua-t-elle. Je l'ai jeté sur mon tablier en utilisant des herbes et des épices disponibles dans le magasin.

— Salut, Vincent, prononça Nod, sa main faisant un signe à partir de la poche du tablier. Ton amie est plutôt extraordinaire, hein ?

Vincent esquissa un large sourire. «Elle l'est assurément», agréa-t-il.

Ils entendirent le bruit des sirènes à ce moment-là, et quelques instants plus tard, plusieurs voitures de police s'arrêtèrent brusquement en face du magasin.

— Il est temps de partir, annonça Vincent.

— Nous allons utiliser l'entrée des marchandises à l'arrière, décida Chanteuse, prenant la main de Vincent et le conduisant vers le fond du magasin.

• • •

Une heure plus tard, ils se trouvaient dans un autobus et à mi-chemin de la maison. Vincent et Nod racontèrent à Chanteuse ce qui se passait, et Vincent leur révéla ce que le démon Bix lui avait dit. Ils se firent lancer d'étranges regards par les autres passagers, mais ils ne leur prêtèrent pas attention.

— Deux jours, articula Chanteuse, répétant ce que Vincent venait de lui dire.

— Bon sang, s'énerva Nod de la poche de son tablier. Je savais que cela devait arriver bientôt, mais... bon sang. Nous devons agir vite.

— Que pouvons-nous faire ? questionna Vincent. Notre seul indice est la société Alphega et nous ne pouvons pas pénétrer à l'intérieur. Ils disposent de mesures de sécurité afin de garder les gens à l'extérieur, et de démons pour se débarrasser des lutins.

— Ce qui signifie que quiconque dirige la compagnie nous connaît, conclut Nod. Wow, c'est important. Nous devons imaginer une façon d'y entrer et découvrir ce qui se passe.

— Nous ne le pouvons pas, objecta Vincent. Nous serons vus. Ou goûtés. Il n'y a tout simplement aucune façon d'entrer furtivement.

— Il pourrait y avoir une façon, intervint Chanteuse.

— Vraiment ? réagit Vincent. Quoi ?

— As-tu déjà entendu parler, demanda Chanteuse, de la projection astrale ?

Vincent n'en avait pas entendu parler, et c'est pourquoi, durant le reste du trajet, Chanteuse lui expliqua de quoi il s'agissait. Essentiellement, comme Vincent finit par le comprendre, la projection astrale consistait à projeter l'âme de quelqu'un à l'extérieur de son corps.

— C'est ce qui se passe quand nous mourons, expliqua Chanteuse. La seule différence, c'est qu'avec la projection astrale, on peut revenir à son corps.

Vincent comprenait tout au sujet de l'âme. Ses parents lui avaient appris que son âme survivrait à la mort, mais serait ensuite jugée par le Triumvirat. Il se trouverait devant leurs trois énormes trônes blancs, attendant pendant qu'ils examineraient ses moindres actes et les jugeraient estimables ou mauvais. Si, une fois tous les actes comptabilisés, les actes estimables primaient sur les péchés, le Triumvirat ouvrirait le Livre du paradis pour voir si son nom y était inscrit. S'il ne l'était pas, il se verrait jeté dans les flammes de l'éternité, autrement connues comme l'enfer.

Et si ses péchés l'emportaient sur les actes estimables, il ne serait pas du tout nécessaire d'ouvrir le Livre du paradis.

Ses parents n'avaient jamais expliqué précisément comment on trouvait le nom de quelqu'un dans le Livre du paradis. Il avait interrogé Max à ce sujet à une reprise, et celui-ci avait indiqué : « Tu n'as qu'à être suffisamment vertueux. » Comme si cela résolvait tout.

— N'aie pas peur, Vincent, rassura Chanteuse. Il n'y a pas de jugement dans l'astral.

— Comment as-tu su ce que je pensais ? questionna Vincent.

— J'ai rencontré tes parents, tu te rappelles ? répondit-elle.

— Exact, se remémora Vincent. Donc, tu l'as fait, hein ? La projection astrale ?

— J'ai essayé, avoua Chanteuse.

— Et alors ? s'impatienta Vincent quand il constata que Chanteuse n'élaborait pas. L'as-tu réellement fait ?

— Oui, Vincent, confirma-t-elle. Je l'ai fait.

— C'est génial ! s'enthousiasma Nod. Elle peut se projeter et aller à Alphega pour nous.

— Non, je ne peux pas, rétorqua Chanteuse.

— Qu'est-ce que tu veux dire, tu ne peux pas ? s'étonna Nod. Tu disais que tu pouvais le faire, alors, où est le problème ?

— Nod, la ferme, intervint Vincent. Le sourire joyeux et habituel de Chanteuse avait disparu et son visage s'était assombri.

Elle n'avait pas eu ce regard depuis le jour où les parents de Vincent l'avaient renvoyée, et cela brisait le cœur de Vincent de voir cela.

— Que se passe-t-il ? demanda-t-il doucement, prenant la main de Chanteuse. Cela semblait la bonne chose à faire et elle ne s'y objecta pas.

— La dernière fois que je me suis projetée, débuta Chanteuse, j'ai rencontré un esprit qui m'a servi un avertissement. Il m'a dit que la prochaine fois que je me projetterais, quelqu'un que j'aime de tout mon cœur allait mourir.

— Quoi ? s'exclama Nod. L'abruti !

— Il ne s'agissait pas d'une menace, précisa Chanteuse. C'était davantage une prédiction de l'avenir. La prochaine fois que je me projetterai, quelque chose de mauvais va se produire, peut-être un accident. Et j'ai peur que ce soit ma mère.

— Ça explique tout, dans ce cas, reconnut Vincent. Tu n'as pas à le faire.

Il serra sa main de façon rassurante et elle lui sourit.

« Wow, songea-t-il. Je tiens la main de Chanteuse. Et elle me sourit ! »

— Nous ne voulons pas qu'il arrive quoi que ce soit à ta maman, lui dit-il. N'est-ce pas ? Il fixa durement Nod du regard, et le lutin se recroquevilla dans sa poche.

— Hé, bien sûr que non, confirma Nod. Mais quelqu'un ici doit se projeter, et ça ne peut être moi. Ces démons peuvent goûter votre âme aussi facilement qu'ils peuvent goûter votre corps.

— Vraiment ? s'informa Vincent.

— C'est ce que j'ai entendu dire, affirma Nod. Je ne suis pas sur le point de prendre le risque. Le ferais-tu ?

Vincent, se rappelant les bouches remplies de dents des démons, ne croyait pas qu'il le ferait.

— Il ne reste que moi, constata Vincent.

L'autobus parvint à l'arrêt de Chanteuse, de sorte qu'elle se leva et sonna. Ils descendirent, ignorant les rires et les insultes où on leur disait : « Tarés ! », puis ils se précipitèrent vers sa maison.

— Peux-tu m'apprendre ? demanda Vincent à Chanteuse pendant qu'ils marchaient. Ils se tenaient encore la main et il était d'excellente humeur.

— Je vais essayer, accepta-t-elle. Mais ce n'est pas facile, Vincent. Pour réussir, tu devras te concentrer, ignorer toutes les distractions... Vincent, m'écoutes-tu ?

Vincent n'écoutait pas. Il regardait droit devant lui, la gorge serrée.

— Te voilà, dit Max, les mains sur les hanches et l'air menaçant. Tu as de graves ennuis, petit frère.

« Père et Mère sont furieux, gronda Max, marchant d'un pas lourd vers Vincent et Chanteuse. Et ils ne connaissent même pas toute la vérité ! Je t'ai suivi, ce matin, Vincent. J'ai vu la créature avec laquelle tu t'es associé. Il ne fait aucun doute qu'il s'agit de la même créature qui m'a attaqué dans la chapelle la nuit dernière ! »

— Max, prononça Vincent aussi calmement que possible, ce n'est vraiment pas le bon moment.

— Et maintenant, reprit Max, je te retrouve main dans la main avec la sorcière.

Vincent combattit la peur de lâcher Chanteuse. Il avait tout à fait le droit de tenir sa main, et ce en dépit de ce que pensait sa famille. Par ailleurs, il ne voulait vraiment pas la lâcher.

— Mère et Père t'ont attendu une heure à l'école, poursuivit Max. Le principal est furieux. Et les parents du gros Tom étaient humiliés.

Un déluge de culpabilité étrangla Vincent. Il avait oublié sa bataille forcée avec son meilleur ami.

— Est-ce qu'il va bien ? grommela Vincent.

— Comme si ça t'intéressait ! dit sèchement son frère.

— Est-il arrivé quelque chose au gros Tom ? s'enquit Chanteuse.

— La ferme, sorcière ! hurla Max, sortant prestement un texte de poche du Triumvirat et le tenant devant lui comme un bouclier.

— Hé ! intervint Nod, dont la tête dépassa de la poche du tablier. Tu ne peux pas lui parler comme ça.

— Aagh ! cria Max, reculant d'un pas. Un autre démon !

— Nod, reste tranquille, intima Vincent, repoussant le lutin à l'intérieur. Tu ne veux pas que les démons te trouvent.

Puis, il se retourna rapidement vers son frère et dit :

— Calme-toi, Max. Ce n'est pas ce que tu crois. En fait, c'est bien pire.

— Tu ne saurais pas si bien dire.

Vincent gémit alors qu'il se tournait et apercevait Grimbowl qui se tenait près de la maison de Chanteuse. C'était tout ce dont il avait besoin.

— Arrière ! ordonna Max, pivotant sur ses talons et dirigeant son texte vers l'elfe. Au nom du Triumvirat, je t'ordonne de…

— La ferme, l'interrompit Grimbowl. Vincent, frappe-le.

Vincent n'était que trop heureux d'obéir. Max effectua un grand pas vers l'arrière, leva la main vers sa joue et dévisagea son frère avec une indignation étonnée.

— Vincent ! s'exclama Chanteuse, surprise de la même manière.

— Désolé, Max, s'excusa Vincent, également stupéfait de l'avoir vraiment fait. Il n'avait pourtant pas eu le choix ; l'obyon l'aurait tourmenté s'il avait refusé, mais Max était son frère et il l'avait frappé.

Et le gros Tom était son meilleur ami, mais il l'avait frappé, lui aussi. Quelles autres horribles choses les elfes le forceraient-ils à faire ?

— Ainsi donc, c'est ton choix, constata Max, fixant durement son petit frère. Tu préférerais t'allier avec ces choses viles plutôt qu'avec ta famille ? Et qu'en est-il de ton engagement avec le Triumvirat ?

— C'est en-nuyeux ! prononça ironiquement Grimbowl. Vincent, frappe-le encore. Plus fort.

— Non, refusa Vincent. Au moment où les mots franchissaient ses lèvres, la douleur le poignarda en pleine tête. Vincent serra les dents et porta les mains à ses tempes, mais la douleur devint plus intense.

— Vincent ? s'alarma Chanteuse, mais il pouvait à peine l'entendre.

— Petit frère ? demanda Max, et il y avait de l'inquiétude sincère dans sa voix.

— Aaagh ! cria Vincent, et il tapa Max. Plus fort.

— Bien, fit Grimbowl. À présent, plonge la main dans la poche de Chanteuse et empare-toi de ce lutin.

— Quoi ? réagit Nod, sortant la tête une fois de plus.

— Non! s'objecta Chanteuse, jetant les mains sur la poche de son tablier.

— Non! hurla Vincent. La douleur était terrible, mais il ne bougea — ne voulut pas bouger. S'il n'établissait pas une limite dès maintenant, il deviendrait un assassin.

Mais la douleur se révélait écrasante. C'était bien plus qu'il ne pouvait supporter. Il tomba sur les genoux, hurlant et griffant son crâne.

Il se demandait s'il allait mourir, et alors il se mit à l'espérer. N'importe quoi pour obtenir un soulagement contre la douleur.

Tout, sauf le meurtre.

Quelqu'un le saisit par l'arrière de sa chemise et le remit sur pied. Il fut attiré vers l'avant, trébuchant sur des jambes qu'il pouvait à peine sentir, vers une destination qu'il ne pouvait pas distinguer, parce que ses yeux étaient clos. Il se rappelait le moment où ses parents lui avaient parlé du moissonneur d'âme, un ange déchu qui entraînait les impies pour qu'ils fassent face aux membres du Triumvirat sur leur trône blanc, au moment de la mort. Était-ce cela qui lui arrivait maintenant?

La douleur devint si grande que Vincent ne pouvait plus penser. Il laissa son ravisseur l'amener là où il le voulait, et il espéra que tout serait bientôt terminé.

Et c'est alors que la chose se produisit.

Vincent cligna des yeux, sentit sa tête. La douleur était partie. Complètement.

Elle se voyait remplacée par un chatouillement énergique dans ses narines. Il éternua, puis éternua de nouveau. Quand il le fit pour la troisième fois, un insecte s'envola hors de son nez.

Vincent baissa les yeux vers la coccinelle, puis il comprit. Cet insecte avait constitué l'obyon. À présent qu'il était sorti, Vincent était libre.

— Je suis libre! cria-t-il, levant les yeux. Il se trouvait à l'intérieur de la maison de Chanteuse, juste au-delà de la porte d'entrée. Chanteuse se tenait près de lui; c'était elle qui l'avait saisi, pas le moissonneur d'âme.

Grimbowl se trouvait dans l'embrasure de la porte, ayant l'air des plus mécontents. Max grimpa rapidement les marches de devant derrière lui, semblant confus.

— Par la Création, que se passe-t-il donc ici? questionna-t-il.

— Je t'expliquerai plus tard, Max, indiqua Vincent, puis il regarda Chanteuse. Qu'as-tu fait?

— Je t'ai amené à l'intérieur, révéla-t-elle. Ma maison est protégée par des cellules magiques. Toutes les choses magiques qui entrent ici deviennent instantanément inutiles.

— Ah! constata Vincent, adressant un sourire narquois et fier à Grimbowl. Il vit la coccinelle s'éloigner et voulut l'écraser, mais avant qu'il ne puisse le faire, Chanteuse la ramassa sur le sol.

— Qu'est-ce que c'est que ça? demanda-t-elle à l'elfe.

— Un insecte? répondit Grimbowl innocemment.

— C'est bien plus que ça, l'elfe, intervint Nod de la poche du tablier.

— Dis-lui, défia Vincent. Dis-lui ce que toi et tes amis m'avez fait.

Grimbowl ouvrit la bouche comme s'il allait se mettre à parler, puis il fonça vers l'avant. Il essaya de sortir par la porte d'entrée, mais Max bloquait cette sortie.

— Il n'y a pas de fuite pour toi, espèce de mauvaise créature, prononça Max, poussant son texte vers l'avant.

— Oh oui, il y en a une, contredit Grimbowl, se tournant et courant dans l'autre direction. Il s'élança devant Vincent et Chanteuse, puis se rendit presque à la porte arrière.

— Aagh! hurla Grimbowl tandis qu'une grosse main le serrait par la taille.

— Où crois-tu aller ? questionna Mlle Sloam, tenant l'elfe triomphalement.

— Dis-moi, lança Chanteuse, présentant l'insecte. Quelle est cette chose ?

— C'est un obyon, dévoila Grimbowl, et il lui raconta ce qu'était un obyon. Chanteuse écouta avec une horreur grandissante, et quand l'elfe termina, elle se trouvait dans une fureur totale.

— Comment as-tu pu ? cria-t-elle à l'elfe. Comment as-tu pu faire cela à mon ami ? Espèce de petit monstre !

— Tu as utilisé ton ensorcellement malfaisant pour maîtriser mon frère, énonça Max. Il n'y a pas de pitié au Ciel pour un diable comme toi.

— J'aurais préféré que tu m'aies fait cela à moi, poursuivit Chanteuse, plutôt qu'à l'un de mes amis.

— Je ne pouvais pas faire cela ! se défendit Grimbowl. Tu es… eh bien, tu es la seule personne en qui les elfes peuvent avoir confiance. Et tu nous traites comme si nous étions bons.

— J'avais manifestement tort par rapport à cela, avoua Chanteuse.

Grimbowl réagit comme s'il avait été giflé. Des larmes se formèrent dans ses yeux et pendant un instant, Vincent se sentit vraiment désolé pour lui. Il semblait que l'elfe était plus dépendant des bonnes grâces de Chanteuse qu'il ne le faisait savoir.

Non pas que Vincent puisse le blâmer. Il savait qu'il aurait été désolé si Chanteuse lui avait dit qu'il était une mauvaise personne. Elle était comme ça. Vous ne pouviez pas supporter qu'elle ne vous aime pas.

— Que devrions-nous faire de lui ? s'interrogea la mère de Chanteuse.

— Le brûler, proposa Max. Puis brûler ce petit qui est dans le tablier. Quant à la sorcière…

— Max, pas maintenant, l'interrompit Vincent en se redressant. Il y a beaucoup de choses ici que tu ne comprends pas.

— Et je ne vais pas attendre qu'il les comprenne, dit Grimbowl, suite à quoi tout son corps devint mou.

— Que lui est-il arrivé ? questionna Vincent, marchant vers la mère de Chanteuse.

— Je ne sais pas, fit Mlle Sloam en secouant l'elfe. Il a l'air mort. Je ne pensais pas l'avoir serré aussi fort.

Vincent tendit la main et enfonça le doigt dans l'estomac de Grimbowl. Il ne se passa rien. Il donna un petit coup à l'une des jambes de l'elfe. Elle se balança comme une branche au vent, mais rien de plus.

— Vérifie sa respiration, suggéra Nod. Je te parie n'importe quoi qu'il fait semblant.

Vincent lécha son doigt et le plaça en face du nez de Grimbowl. Il sentit de l'air sur son doigt, puis ensuite des dents.

— Aïe ! cria-t-il, tirant d'un coup sec pour sortir sa main de la bouche de Grimbowl.

— Vous avez tous de graves ennuis à présent, les menaça l'elfe. Je viens d'aller chercher de l'aide. Ma tribu tout entière sera ici dans cinq minutes pour venir à mon secours.

— Tu n'es allé nulle part, indiqua Vincent pendant qu'il frottait son doigt. Tu es resté ici durant tout ce temps.

— Tu as déjà entendu parler de la projection astrale ? demanda Grimbowl. Nous, les elfes, sommes experts en la matière.

— Vraiment ? s'étonna Vincent, levant un sourcil.

— Réellement ? questionna à son tour Nod, se faufilant hors de la poche. Eh bien, quand j'en aurai fini avec toi, ton corps astral sera tout ce qui restera de…

— Nod ! Reste dans ma poche, avertit Chanteuse, le saisissant et le repoussant. Tu ne seras pas protégé si tu en sors.

— Protégé de quoi ? interrogea Grimbowl.

— Mêle-toi de ce qui te regarde, rétorqua Vincent.

— Parce que si c'est une protection magique, reprit Grimbowl, alors, ça ne fonctionnera pas dans une maison protégée, n'est-ce pas ?

Vincent, Chanteuse et Nod dévisagèrent l'elfe et demandèrent en chœur : «Quoi ?»

Puis, Vincent et Chanteuse se regardèrent avant de baisser ensuite les yeux vers Nod.

— Oh non, prononça le lutin.

— Alors, de quoi était-il supposé être protégé ? demanda Grimbowl.

Un moment plus tard, il le découvrit.

Avec un fracas assourdissant, les trois démons se précipitèrent dans la maison de Chanteuse par la fenêtre de la salle
de séjour. Bix les précédait et il avait l'air très content.

— Eh bien, eh bien, quel festin nous avons ici ! s'extasia-
t-il, son regard se promenant de Nod à Grimbowl.

— Aïe, gémit Nod.

— Les démons! hurla Grimbowl. Laissez-moi partir, laissez-moi partir, laissez-moi partir!

— Les démons? répéta Max. Mais vous êtes tous…

— Pas maintenant, Max, coupa Vincent.

Mlle Sloam laissa tomber l'elfe et jaugea les nouveaux intrus. Vincent supposa que, comme sa fille, elle avait vu beaucoup de créatures étranges dans son temps. À en juger par son regard, cependant, ces monstres ronds et ailés représentaient quelque chose de nouveau.

— Sortez de ma maison, ordonna-t-elle.

Les démons l'ignorèrent et chargèrent. Deux d'entre eux se dirigèrent tout droit vers Nod, qui se dépêcha de grimper pour sortir du tablier de Chanteuse et prendre la fuite. Le troisième démon changea de direction et suivit Grimbowl qui prenait la fuite.

La mère de Chanteuse balança un coup de poing et martela le démon en pleine face. Vincent souleva sa jambe gauche et asséna un coup en plein sous le menton de Bix. Le dernier démon passa devant Max et bondit sur Nod.

— Arrête! cria Chanteuse, se jetant elle-même sur son chemin. Le démon la poussa à l'écart, l'égratignant avec ses griffes tandis qu'il s'exécutait. Chanteuse poussa un petit cri et chuta vers l'arrière, du sang coulant de ses coupures sur les bras et les épaules.

— Mais qu'est-ce que…, dit le démon, déplaçant son regard de ses griffes vers les blessures de Chanteuse.

— Mais qu'est-ce que…, dit Vincent alors qu'il se levait. Ne devrais-tu pas hurler de douleur?

Bix, qui avait rebondi du plafond, nota la situation et sourit.

— Mes cellules magiques…, murmura Chanteuse.

Vincent ressentit une sensation écœurante de fatalité. Il regarda Bix et réalisa que le démon le savait, lui aussi.

— La saison est ouverte, les gars! s'écria Bix, puis il fonça. Il heurta Vincent dans la poitrine, le propulsant vers l'arrière et le faisant reculer jusque dans la cuisine.

Vincent haleta, le souffle coupé et inondé de douleur. Sa poitrine venait tout juste de guérir, mais maintenant, c'était comme si elle avait été brisée. Il se trouvait étendu sur le plancher de la cuisine sans pouvoir intervenir tandis que Bix révélait ses dents et se jetait sur lui.

— Non, cria Max, bondissant vers l'avant et repoussant le démon en le frappant. Il atterrit directement sur la poitrine de son frère et Vincent souhaita mourir sur le coup.

Chanteuse hurla. Max et Vincent levèrent les yeux et virent sa mère saisir brutalement un démon pendant qu'elle en tenait un autre sous son pied.

— Ce sont des démons? demanda Max tandis qu'il s'enlevait de sur son frère.

— Ouais…, confirma Vincent.

— Alors, que sont les autres? questionna Max.

— Hummm…, hésita Vincent.

Bix reprit position et fonça de nouveau. Max saisit une chaise et la souleva, mais le démon se précipita à travers elle comme une balle à travers une serviette de table humide. Max s'éloigna, piétina la poitrine de Vincent et tomba à la renverse. Vincent se lamenta et espéra que les démons l'achèveraient rapidement. Bix demeura suspendu au-dessus de lui, la bouche grande ouverte, paré pour exaucer ce désir.

Max effectua un coup avec les deux jambes, voulant expédier la bête au loin. Il rata un peu son objectif, toutefois, et seul son pied gauche heurta le démon. Son pied droit, malheureusement, frappa solidement la mâchoire de Vincent. La pièce s'embrouilla, puis tout devint noir.

● ● ●

Vincent se réveilla dans une chambre blanche. Sa mâchoire et sa poitrine le faisaient beaucoup souffrir, mais il se trouvait étendu sur quelque chose de confortable. Il essaya de se redresser, mais la douleur dans sa poitrine devint alors bien pire.

— Ouch, prononça-t-il, mais il essaya de nouveau. Son dernier souvenir n'en avait pas été un bon, et il devait savoir où il était. En utilisant ses bras au lieu des muscles de sa poitrine, Vincent se redressa et regarda autour de lui.

Il était dans une chambre d'hôpital. Il y avait deux lits dans la pièce et son frère reposait sur l'autre. Leurs parents se tenaient debout de chaque côté de Max, les mains sur ses épaules et de l'inquiétude sur leur visage. Un grand homme vêtu d'une veste blanche se tenait de l'autre côté du lit, et lorsqu'il vit Vincent, il sourit et s'avança près de lui.

— Bonsoir, dit le grand homme. Je suis le Dr Ritchet. Comment te sens-tu ?

— Tu nous dois quelques explications, jeune homme, déclara son père, poussant le Dr Ritchet à l'écart et jetant un regard mauvais à Vincent. Tout d'abord…

— Nous étions tellement inquiets ! l'interrompit sa mère. Est-ce que tu vas bien, Vincent ?

— Je suis…, commença Vincent.

— Il va manifestement bien, constata son père. Maintenant qu'il est réveillé, je pense qu'il devrait répondre à quelques questions, comme : Où a-t-il passé tout l'après-midi ?

La mère de Vincent semblait déchirée. Vincent supposait qu'elle était d'accord avec son père, mais qu'elle n'avait certainement pas oublié non plus sa rencontre avec «l'ange».

— Votre fils a besoin de se reposer, indiqua le Dr Ritchet. Et je vais devoir garder les deux garçons ici, sous observation, pour la nuit.

— Quoi ? réagit le père de Vincent. Mais il n'y a rien qui ne va pas avec eux.

— Oui, il y a quelque chose qui ne va pas, révéla Vincent, touchant sa mâchoire.

— Vos fils souffrent de plusieurs coupures et ecchymoses, expliqua le docteur. Ce n'est pas encore sûr de les renvoyer.

— À cause des coupures et des ecchymoses ? s'étonna le père de Vincent. Dans mon temps, ils seraient déjà revenus à la maison et se seraient fait fouetter pour avoir manqué l'école !

— Ce n'est pas de cette façon que l'on fait les choses actuellement, rappela fermement le Dr Ritchet. À présent, je dois vous demander de partir.

— Allons-y, Gerald, dit Mme Drear en prenant son bras.

— Ils feraient mieux d'être sortis à temps pour la protestation de vendredi, menaça M. Drear, se permettant d'être conduit.

— Vous serez informé dès que vos garçons seront suffisamment en forme pour être renvoyés, lui promit le docteur. Par ici.

Vincent les observa alors que le Dr Ritchet escortait ses parents vers la sortie. Il était trop fatigué pour être en colère contre eux. Ils resteraient les mêmes jusqu'à la fin du monde. Ou durant encore deux jours. Peu importe ce qui allait survenir en premier.

— Max ? prononça Vincent, se tournant pour regarder son frère. Max, que s'est-il passé ?

Max détournait les yeux et Vincent crut qu'il était en colère. Quand il se retourna, cependant, il y avait des larmes dans ses yeux.

— Je pensais que je savais tout, indiqua Max. J'ai commis un Péché, Vincent. J'ai été arrogant.

Vincent en aurait bien convenu avec lui, mais il se doutait qu'il ne s'agissait pas du bon moment pour le faire. Son frère était demeuré debout avec lui et il lui avait sauvé la vie lors de l'attaque du démon.

— Ne sois pas dur avec toi-même, dit-il. Tu as bien fait.

Il voulait en dire davantage, mais le temps pressait. Il se sentait tellement endormi, et il avait besoin d'information avant de s'assoupir.

— Qu'est-il arrivé à la maison ? questionna-t-il. Est-ce que Chanteuse va bien ?

Max marqua un temps, puis il regarda son petit frère dans les yeux.

— Non, elle ne va pas bien, dévoila-t-il. Elle et sa mère ont été grièvement blessées par les démons. Elles auraient été tuées, mais à ce moment-là, ton minuscule ami est revenu.

— Nod ? demanda Vincent.

— Je ne connais pas son nom, dit Max. C'était celui qui se cachait dans la poche du tablier de la sorcière.

— C'est lui, confirma Vincent, luttant pour se redresser de nouveau. Que lui est-il arrivé ?

— Il a attaqué les démons, indiqua Max. C'était la chose la plus courageuse que j'aie jamais vue. Le petit bougre ne faisait manifestement pas le poids contre les trois bêtes, mais il les a quand même combattues. Et alors que les trois le combattaient, il s'envola et les démons le suivirent. Il a sauvé nos vies, Vincent. J'avais pensé que de telles créatures étaient les servantes du Diable, mais le Triumvirat m'a ouvert les yeux.

— Je suis heureux de l'entendre, se réjouit Vincent. Sa tête tournait énormément à présent et il ne pouvait pas rester éveillé beaucoup plus longtemps. Max, j'ai besoin de ton aide. Je dois trouver Grimbowl, cet elfe qui s'est enfui de la résidence de Chanteuse.

— Celui qui t'avait pris sous son emprise ? interrogea Max. Non, Vincent, cette créature est méchante.

— J'ai besoin de lui, insista Vincent. Chanteuse allait m'aider à effectuer une projection astrale pour que je puisse entrer furtivement dans le siège social d'Alphega, mais elle ne peut pas m'aider maintenant. Grimbowl a dit qu'il était un expert...

— Non, Vincent, refusa Max. De telles choses ne sont pas naturelles.

— Max…, prononça Vincent.

Il devait atteindre son frère, mais comment ?

— Max, reprit-il, crois-tu vraiment que je te demande de faire quelque chose de mal ? Ne pense pas, réponds simplement.

— Je… non, Vincent. Mais le Triumvirat…

— J'ai besoin de Grimbowl, répéta Vincent. Il retomba sur son lit, l'épuisement le réclamant. Je dois… tu dois…

Et ensuite, il s'endormit.

• • •

Vincent rêva. Il s'agissait de l'un de ces rêves qui ont parfaitement du sens pendant que vous les faites, mais qui n'en ont plus du tout quand vous vous réveillez. Il se trouvait debout, dans un radeau, sur une rivière rapide, se dirigeant directement vers une chute d'eau. Il tenait un cerceau dans ses mains et il essayait de convaincre les vaches qui nageaient dans la rivière un peu plus bas de sauter à travers lui.

Il n'était pas seul sur le radeau. Deux arbres poussaient ce dernier de chaque côté de lui, battant l'air de leurs branches vers Vincent et s'efforçant de l'amener à poser le cerceau. Vincent expliquait aux arbres que les vaches devaient sauter à travers le cerceau avant qu'elles n'atteignent la chute d'eau, mais naturellement, les arbres n'écoutaient pas.

Vincent se sentait très frustré — les arbres ne pouvaient-ils pas voir la chute d'eau ? Ils la verraient s'ils se donnaient la peine de regarder. Au lieu de cela, les arbres lui disaient que les vaches devaient tournoyer dans l'eau. Si elles le faisaient, elles seraient sauvées d'une mort certaine lorsque le train arriverait. Il n'y a pas de train, affirma Vincent, mais les arbres l'assurèrent qu'un train s'en venait vraiment et qu'il allait traverser la rivière à vive allure d'un instant à l'autre. Toutes les vaches qui ne tournoieraient pas, expliquèrent les arbres, périraient certainement.

Voilà donc ce qui se produisit, le radeau de Vincent voguant le long des flots infestés de vaches tandis qu'il tentait d'empêcher les arbres de s'emparer de son cerceau. Et tout cela aurait pu devenir plus étrange encore, mais à ce moment même, une autre silhouette apparut sur le radeau.

— Joli rêve, constata Grimbowl. Comme le symbolisme. Bon contact.

— Grimbowl, prononça Vincent, se souvenant vaguement qu'il avait besoin de l'aide de l'elfe. Peux-tu m'aider? Nous devons amener ces vaches vers...

— Non, nous n'avons pas à le faire, corrigea Grimbowl. Tu es dans un rêve et je vais t'en extirper.

— Un rêve? répéta Vincent. Mais les vaches... Il fit un geste avec le cerceau, comme pour apporter une explication.

— Ce sont tous des symboles, le jeune, indiqua l'elfe. La rivière représente le monde, et la chute d'eau, la fin du monde. Les vaches correspondent aux gens, et ce cerceau — il prit l'objet des mains de Vincent —, c'est toi qui essaies de les sauver. Facile. Et les arbres sont tes parents. Ce rêve est assez évident. Tu piges?

Vincent regarda autour de lui et considéra son rêve d'un œil plus objectif. Maintenant que l'elfe avait attiré son attention vers le rêve, tout cela semblait un peu loufoque. Symbolique, oui, mais loufoque. Et pourquoi des vaches? Qu'est-ce que tout cela voulait dire?

— D'accord, c'est donc un rêve, reconnut Vincent. Devrais-je me réveiller, à présent?

— Non, ne fais pas ça, l'en dissuada Grimbowl. Prends simplement ma main et viens avec moi.

Il leva la main et Vincent tendit la sienne pour la prendre.

— Tu ne vas pas m'enfoncer quelque chose dans le nez, n'est-ce pas ? s'inquiéta Vincent.

— Non, rassura Grimbowl, et il fit descendre Vincent du radeau pour ensuite le faire sortir de son rêve.

Vincent et Grimbowl flottaient en l'air dans une pièce obscure. Il y avait quelque chose de familier par rapport à celle-ci, et quand il jeta un coup d'œil autour de lui, Vincent sut pourquoi.

— C'est ma chambre d'hôpital, réalisa-t-il. Il pouvait voir la porte d'un côté, la fenêtre de l'autre. Il distingua Max qui se trouvait à proximité de son lit, tenant Grimbowl dans ses bras. Une corde fine comme une aiguille s'étendait de la tête de l'elfe jusqu'au Grimbowl qui flottait en l'air près de Vincent.

— Mais qu'est-ce que… ? s'interrogea Vincent, observant les deux Grimbowl à tour de rôle. Comment peux-tu être à deux endroits à la fois ?

— Je ne suis pas le seul, fit remarquer Grimbowl, lui faisant signe de regarder en bas.

Vincent obtempéra. En bas, il y avait son lit, et étendu sur ce lit…

— Aaah ! s'effraya Vincent, reculant à la vue de son propre visage.

— N'aie pas peur et calme-toi, dit Grimbowl. Des émotions fortes te ramèneront d'un coup sec à ton corps.

— Quoi ? Je ne suis…, balbutia Vincent, mais ensuite il comprit. J'ai une projection astrale, n'est-ce pas ?

— Quel était ton premier indice ? s'enquit Grimbowl.

— Je pensais que ce serait vraiment difficile à faire, admit Vincent, baissant les yeux vers sa forme endormie. Comme pour Grimbowl, un mince cordon d'argent s'étendait de son front jusqu'à l'arrière de son crâne astral. Vincent tendit la main vers le cordon et le sentit ; c'était comme le fait d'avoir une queue à la base de son cou.

— C'est généralement difficile, informa Grimbowl. Il faut beaucoup de concentration et d'attention. Mais tous les gens quittent leur corps quand ils dorment, le jeune. Ils planent au-dessus de leur corps et s'entourent de leur propre monde imaginaire. Si tu connais le truc, tu peux faire sortir quelqu'un de son rêve. Mais ça suffit pour l'instant. Ton frère a dit que tu avais besoin de moi pour t'aider à faire cela. Ce que je veux savoir, c'est pourquoi ?

— Mon frère ? Vincent se retourna vers Max, qui était maintenant assis sur le lit avec le corps de Grimbowl toujours dans ses bras. Il t'a réellement trouvé ?

— Ce n'était pas compliqué, dit Grimbowl. J'étais ici, de toute façon. Je voulais te demander ce que tu fabriquais, à passer du temps avec les lutins et à combattre les démons.

— Je ne devrais pas te le dire, estima Vincent, se détournant de lui. Tu m'as forcé à casser la figure de mon meilleur ami. Et tu m'as fait mal. Beaucoup.

— J'ai fait ce que je devais faire, se justifia Grimbowl. Nous avions besoin d'un humain pour aller là où nous ne pouvions pas aller.

— Vous auriez pu simplement le demander, reprocha Vincent. C'est ce que Nod a fait.

— Tant mieux pour lui, prononça Grimbowl. C'est un lutin formidable, certainement.

— Je croyais que vous, les elfes, vous détestiez les lutins, dit Vincent.

— C'est le cas, en effet, reconnut Grimbowl. Mon peuple et moi, Vincent, nous n'avons pas exactement une grande confiance envers les autres espèces. Cela remonte directement à notre époque, quand les centaures…

— Je sais, indiqua Vincent. Nod m'a parlé d'eux.

— Il l'a fait? s'étonna Grimbowl. Que sais-tu encore?

— Je sais que nous avons moins de deux jours avant la fin de l'époque, répondit Vincent.

— Quoi? rétorqua Grimbowl.

— Alors, nous n'avons pas vraiment le temps pour tes problèmes de confiance, signala Vincent. Nous devons poursuivre avant de perdre davantage de temps.

— Tu sais quoi, Vincent? interrogea Grimbowl. Tu as raison. Et je m'étais trompé à ton sujet. Tu n'es pas qu'un simple idiot.

— Wow, merci, dit sèchement Vincent.

— Je peux faire mieux, continua l'elfe. Nous n'aurions pas dû placer cet obyon à l'intérieur de toi. Tu es un bon garçon. Et nous pourrions bien te devoir toutes nos vies.

Vincent sourit en entendant cela. « Merci », dit-il.

— D'accord, trêve de sentimentalités. Si nous disposons de seulement deux jours, nous devons alors nous remuer.

Grimbowl saisit la main de Vincent et le monde autour d'eux s'effaça. Avant que Vincent n'ait pu demander ce qui se passait, ils apparurent au milieu d'une rue. Un camion vint droit vers eux et gronda à travers leur corps astral avant que Vincent n'ait la chance de hurler.

— Détends-toi, le jeune, rassura Grimbowl. Nous sommes dans le plan astral. Les choses matérielles ne peuvent pas nous faire de mal.

— Tu aurais pu m'avertir, reprocha Vincent.

— Ouais, dit Grimbowl, mais cette façon-là était plus amusante.

Vincent lui lança un regard noir, puis il se tourna et assimila leur environnement.

Ils se trouvaient en banlieue, juste en face d'une maison à deux étages d'allure onéreuse. Toutes les maisons de cette rue semblaient onéreuses — il devait s'agir de la partie riche de la ville, pensa Vincent. Et il connaissait uniquement une personne qui vivait dans ce quartier.

— Nous sommes à l'extérieur de la résidence de Barnaby Wilkins, informa Grimbowl. Tu vas y entrer.

— Pourquoi?

— Pour que tu puisses fureter dans ses affaires, révéla Grimbowl. Il a peut-être laissé son projet de la foire des sciences à un endroit où tu pourras le lire.

— Non, refusa Vincent. Je n'ai pas besoin de regarder ses affaires. Nod et moi avons découvert un meilleur endroit pour chercher les sites du portail.

— Où? questionna Grimbowl.

— Au siège de la société Alphega, répondit Vincent.

— Dans ce cas, pourquoi sommes-nous encore ici? réagit Grimbowl, saisissant de nouveau la main astrale de Vincent. Guide-moi!

— D'accord, accepta Vincent. Comment, exactement?

— Oh, ouais, tu es novice en la matière, se rappela Grimbowl. Nous pourrions voler là-bas, mais le voyage par la pensée est encore plus rapide. C'est de cette manière que nous sommes venus ici, le jeune. C'est facile à apprendre, également. Si tu sais où tu veux aller, pense fortement que tu y es et cela arrivera.

— D'accord, dit Vincent, fermant les yeux et pensant. Au début, c'était difficile, parce que son esprit passait son temps à vagabonder vers d'autres choses. Par exemple, s'il n'était pas dans son corps, comment pouvait-il fermer les yeux ? Avait-il même des yeux ? Ou des mains ? Comment faisait-il pour tenir la main de Grimbowl s'il n'était pas dans un corps matériel ?

— Concentre-toi davantage, intervint Grimbowl, donnant un coup de pied dans les tibias astraux de Vincent.

Vincent se concentra et un moment plus tard, ils se trouvaient tous deux au bord du stationnement de la société Alphega. La tour du siège social s'élevait devant eux, et aux yeux astraux de Vincent, il y avait quelque chose de différent à propos de cet édifice. Des sphères translucides entouraient la structure, lui donnant l'apparence d'un petit bocal. Cela évoquait pour Vincent les boucliers qui protégeaient les vaisseaux spatiaux dans les émissions de science-fiction comme *Infinite Destiny*, et lorsqu'il mentionna cela à Grimbowl, il découvrit qu'il ne s'était pas trompé.

— Cela ressemble à des cellules magiques, constata l'elfe. Ce pourrait être pour les protéger contre les attaques magiques. Ou cela pourrait être pour détecter les voyageurs astraux, mais je ne pense pas que ce soit possible. D'une manière ou d'une autre, c'est un satané système de sécurité.

— Ouais, réalisa Vincent. Et ils ont des démons, également.

— Quoi ? aboya Grimbowl. Des démons ? Ici ?

— Ouais, confirma Vincent. Je crois qu'ils patrouillent le secteur. C'est la raison pour laquelle…

— Tu ne m'avais pas dit qu'il y avait des démons! reprocha Grimbowl, qui commençait à paniquer. Son cordon d'argent, qui avait traîné de manière très souple derrière lui, commença à se raidir. Vincent, ils peuvent goûter n'importe quoi, même les âmes! S'ils détectent mon esprit, ils vont remonter à mon...

Il ne termina jamais sa phrase, car son cordon d'argent se tendit et attira son âme d'un coup sec.

En premier lieu, Vincent eut peur qu'un démon l'ait attrapé d'une façon ou d'une autre. Puis, il se souvint de ce que l'elfe avait dit au sujet des émotions fortes. Grimbowl avait été ramené vers son corps.

— Je pense que je suis seul, prononça Vincent, se retournant vers l'édifice. Ce serait risqué; si les protections pouvaient détecter les voyageurs astraux, on saurait qu'il était là avant qu'il n'atteigne la porte principale. Si on le découvrait, pouvait-on lui faire quelque chose? Était-il possible de faire du mal à une âme? Le seul fait d'y songer se révélait tout bonnement effrayant.

Mais si le site du portail se trouvait ici, le monde avait besoin de le savoir. Max, Chanteuse et sa mère avaient tous été blessés en essayant de l'aider, et Nod avait donné sa vie. La moindre des choses n'était-elle pas qu'il tente le coup?

Vincent marcha jusqu'à ce qu'il soit juste en face de la cellule de protection. Ça y était : l'heure de vérité.

— Fichtre, dit-il, et il passa à travers.

Les sirènes, les klaxons et les alarmes ne retentirent pas, et une armée de démons ne se matérialisa pas et ne se lança pas à sa poursuite. Vincent attendit une minute, puis deux. Rien. La voie semblait libre.

— Je crois que la voie est libre, prononça-t-il, puis il couvrit sa bouche astrale. La dernière chose dont il avait besoin était de se porter malheur à lui-même.

Rien encore ne se passa. Vincent patienta quelques moments de plus, simplement pour être sûr, puis il s'aventura vers l'avant un peu plus. Il pensa aux portes principales, et une fraction de seconde plus tard, il était là. Il fit un geste de ses mains astrales en face des gardiens de sécurité, mais ceux-ci ne remarquèrent rien.

— Pour l'instant, tout va bien, constata Vincent, surveillant une réaction des gardiens. Il n'y en avait pas. Ils ne pouvaient ni le voir ni l'entendre.

— Bien, dit Vincent. Ça y est.

Vincent marcha devant les gardiens et pénétra dans le siège de la société Alphega.

L'édifice grouillait d'activité, ce que Vincent trouva surprenant. On était encore tard dans la nuit, après tout, et une compagnie normale aurait été fermée.

Il se trouvait dans un petit hall possédant de nombreux couloirs qui bifurquaient dans toutes les directions. Les employés se déplaçaient dans un sens puis dans l'autre, transportant des documents qui semblaient importants, et ils paraissaient tous stressés jusqu'à la folie.

Un couloir menait aux ascenseurs. Près de ceux-ci, Vincent repéra le répertoire de l'édifice. Il le passa en revue, espérant découvrir un indice, comme un panneau indiquant : «Le portail est dans cette direction», mais rien ne le renseigna à ce sujet.

Vincent emprunta un autre couloir et se retrouva dans un bureau. Il était long sans être large, en forme de L, et il se voyait bondé de rangées de bureaux à cloisons. Des employés se trouvaient dans ces bureaux, tapant fébrilement sur les terminaux des ordinateurs. Chaque terminal disposait d'un moniteur supplémentaire, exactement comme ceux des caisses enregistreuses du supermarché.

D'autres employés se ruaient çà et là avec leurs documents. Une personne se précipita directement à travers Vincent, suite à quoi elle poussa un cri de surprise. Elle regarda autour d'elle, essayant de déterminer ce qui s'était passé, mais elle ne pouvait pas voir Vincent. Perplexe, elle poursuivit son chemin.

Vincent avait lui aussi éprouvé un petit choc après qu'elle eut passé tout simplement à travers lui. Il se remit juste à temps pour apercevoir un autre employé marcher droit vers lui, mais pas assez vite pour s'écarter de son chemin.

— Aïe ! réagit l'homme, manifestant un tremblement involontaire.

— Intéressant, dit Vincent, observant l'homme s'éloigner. Il semblait que les gens pouvaient ressentir sa présence quand ils passaient à travers lui.

Il aurait aimé explorer cette nouvelle connaissance plus à fond, mais quelque chose en avant tourna le coin et saisit l'attention de Vincent. C'était un démon, flottant paresseusement à un mètre au-dessus de la tête des employés. Les gens ne réagissaient pas à sa présence, mais le démon les surveillait de très près. Il transportait un petit appareil dans sa main, mais il se trouvait trop loin pour que Vincent puisse distinguer de quoi il s'agissait.

Vincent se précipita à l'intérieur d'un bureau à cloisons vide et se baissa rapidement. Il ne pensa pas que le démon pourrait le voir, mais il ne pouvait pas se permettre d'en prendre la chance. Il demeura aussi bas qu'il le pouvait tout en étant assez haut pour garder un œil sur la créature.

Le démon marqua une pause en l'air, au-dessus d'un employé qui avait cessé de travailler pour bâiller. Le démon tapa quelque chose dans son appareil portatif, puis tout d'un coup, le deuxième moniteur de cet employé s'anima.

— Milton Judge, clama le visage digitalisé de M. Wilkins, tu as été surpris en train de t'adonner à des activités qui ne sont pas associées avec la politique de la compagnie. Une réduction d'une heure de paie sera appliquée à ton compte.

« Oh, bon sang, songea Vincent. Peu importe celui qui dirige Alphega, il déteste réellement ses employés. »

Le démon se mit à dériver de nouveau, approchant plus près. Vincent se baissa davantage, s'appuyant sur le bureau pour avoir un soutien…

… et il tomba à travers. Il ne heurta pas le sol, mais il cessa de chuter juste au-dessus de ce dernier. Le bureau était tout autour et au-dessus de lui, et lorsqu'il se releva, sa tête émergea du meuble comme un fantôme. Ce qu'il était, supposa-t-il.

Vincent s'accroupit et le bureau l'enveloppa de nouveau. C'était génial, pensa-t-il. Il était un fantôme! Il pouvait marcher à travers les choses! À l'exception, semblait-il, du plancher. Pourquoi était-ce ainsi? Il n'était pas plus solide que le bureau. Comment avait-il pu marcher dessus?

Vincent tendit la main vers le bas et sa main passa à travers le plancher. Qu'est-ce que cela voulait dire? Il se tenait encore accroupi sur le sol, et cependant, sa main pouvait le traverser. Peut-être que…

Peut-être que c'était dans son esprit. Peut-être que le sol était solide, en dessous de lui, tant et aussi longtemps qu'il voulait qu'il en soit ainsi…

La chose se révélait absolument fascinante, mais il avait encore un travail à faire. Vincent se redressa, et c'est à ce moment-là qu'il se rappela pourquoi il s'était baissé rapidement en tout premier lieu. Il regarda autour de lui et vit le démon, qui était maintenant beaucoup plus proche. La créature ne l'avait pas remarqué, au grand soulagement de Vincent. Il resta immobile tandis que le démon passait à côté de lui, puis il recula lentement…

… dans le prochain bureau à cloisons, où un homme travaillait fort devant son ordinateur. Vincent marcha à reculons à travers cet ordinateur, lequel s'enflamma subitement et s'éteignit avec un boum.

— Aïe! cria l'homme, tombant à la renverse de sa chaise.

Le démon s'arrêta et pivota, regardant fixement et avec attention l'ordinateur qui fumait. Vincent recula une fois de plus, seulement pour se heurter contre l'imprimante de l'homme.

— Bon sang! gueula l'homme alors que son imprimante émettait des étincelles et se mettait en court-circuit. Des têtes surgirent des bureaux à cloisons et une foule commença à se rassembler. Le démon examina le secteur avec méfiance, puis sortit la langue et goûta l'air.

Le temps file, songea Vincent, puis il pivota et se mit à courir. Tout droit, à travers un autre ordinateur. Puis il passa à travers une photocopieuse et un télécopieur. Les trois machines se mirent en court-circuit avec une averse d'étincelles et le papier d'impression dans la photocopieuse prit feu. L'alarme d'incendie retentit quelques secondes plus tard.

Les âmes et les appareils électroniques ne se mélangent pas, réalisa Vincent tandis qu'il courait. Il s'esquiva dans le coin en forme de L et déboucha sur un autre espace rempli de bureaux à cloisons. Tout autour de lui, les personnes quittaient leurs bureaux et se dirigeaient vers les sorties. Quelques-unes passèrent à travers Vincent et poussèrent un glapissement alors qu'elles le faisaient. Vincent tenta de se mettre à l'écart de leur chemin, mais ce faisant, il heurta d'autres appareils électroniques.

— Ce n'est pas une bonne chose, constata-t-il alors qu'il faisait sauter un autre ordinateur. Le démon dériva vers lui, sa langue battant l'air d'un côté et de l'autre. Vincent enviait le démon, puisqu'il pouvait voler au-dessus de la foule d'employés et demeurer inaperçu.

Puis il se souvint d'une chose que Grimbowl avait dite. Quand Vincent avait demandé comment ils pouvaient se rendre à la société Alphega, l'elfe lui avait révélé qu'ils pouvaient voler. Cela signifiait que Vincent, dans son corps astral, pouvait voler !

Mais comment ? Vincent réfléchit et se demanda si cela fonctionnerait de la même façon que le voyage par la pensée. Il s'imagina en train de décoller et de planer au-dessus des bureaux à cloisons...

... et la chose se produisit. Vincent flottait en l'air et avant qu'il ne puisse s'arrêter, il traversa le plafond et arriva au deuxième étage. Il émergea au milieu d'un autre ordinateur, le faisant sauter et donnant le signal de départ aux employés avoisinants. Vincent continua son ascension et se rendit jusqu'au septième étage avant qu'il ne pense à s'immobiliser. Quand il le fit, son voyage vers le haut cessa.

— Chouette, constata Vincent, son esprit inondé de possibilités. Cependant, il avait encore un portail à trouver. Il s'imagina volant autour du département, et il partit.

Cinq minutes plus tard, il avait fait une orbite complète du septième étage. Il avait vu un autre démon et s'en était caché, mais à part cela, il n'y avait rien d'extraordinaire. Il descendit au sixième étage et l'inspecta, puis il essaya le cinquième. Chaque étage avait un démon qui le patrouillait, mais autrement, on n'y distinguait rien d'étrange ou de surnaturel.

Toutefois, quelque chose embêtait Vincent, et il réalisa ce que c'était tandis qu'il survolait le quatrième étage. Les bureaux étaient très longs, mais pas larges. C'était comme si un immense morceau de l'édifice manquait. Et ce, au centre de l'édifice.

Vincent pivota et fit face au mur. Quelque chose était caché derrière lui et il voulait découvrir ce que c'était.

Il s'apprêtait à s'envoler vers le mur et à le traverser lorsqu'il fut distrait par la langue d'un démon. Elle passa directement à travers sa forme astrale, puis elle revint et s'arrêta au milieu du torse de Vincent.

Vincent se retourna et regarda le démon qui planait juste derrière lui. Il y avait quelque chose de familier avec ce démon ; Vincent l'avait déjà vu auparavant. Ce n'était pas un des trois démons qui avaient pourchassé et tué Nod. C'était plutôt Rennik, celui qui l'avait goûté dans le stationnement.

— Ah, ha! prononça Rennik avec un large sourire malveillant. Te voilà.

Vincent ressentit une boule de peur grandir dans son ventre, et il recula. Son cordon d'argent commença à se raidir et il se força à se calmer. Il s'était rendu trop loin pour être renvoyé à son corps maintenant. Et même si le démon savait qu'il était là, et après? Il ne pourrait pas le toucher ou lui faire mal, de toute façon.

De plus, le démon ne pouvait pas traverser les murs.

— Au revoir, dit Vincent, puis il pivota et bondit à travers le mur. Pendant une seconde, il put entendre le hurlement de colère de Rennik, puis le silence revint. Le mur était épais ; Vincent vola à l'intérieur une seconde entière avant de réapparaître de l'autre côté.

Il se retrouva dans un autre bureau. Celui-ci était deux fois plus grand que sa chambre à coucher, et meublé de façon somptueuse. Un bureau de chêne brillant, en bois sculpté, se trouvait sur un tapis d'un vert éclatant, faisant face à une grande baie vitrée. Des tableaux se voyaient accrochés sur les murs, certains représentant des créatures fantaisistes et d'autres montrant des chevaux sauvages. Les stores de la baie vitrée étaient tirés, mais Vincent pouvait apercevoir un éclairage brillant autour d'eux. Il y avait une lumière très vive de l'autre côté et Vincent se demandait ce que c'était. Ce ne pouvait pas être le soleil; le bureau se situait au milieu d'un édifice, et de toute manière, il faisait encore nuit.

Un homme se trouvait au bureau, dans une chaise fabriquée elle aussi à la main à partir d'un bois de première qualité. L'homme se tenait assis bien droit, portant un complet brun d'allure dispendieuse et semblant absorbé dans une conférence téléphonique vidéo. Il n'avait pas remarqué Vincent et ce dernier espérait que les choses demeureraient ainsi.

— Oui, je suis conscient que cela viole la loi internationale, avoua l'homme à un Chinois dont le visage apparaissait sur un moniteur vidéo. Cela ne nous a jamais arrêtés auparavant, n'est-ce pas? Ça m'est égal si les inspecteurs de l'ONU s'en viennent. Gardez simplement les ouvriers dans l'usine. Et vous voulez que je vous dise? Eh bien, dans deux jours, vous pouvez les laisser prendre un jour de congé, ça va? Bien.

Il donna un coup de poing sur un bouton et le Chinois disparut de l'écran.

À proximité du bureau, Vincent distingua quelque chose de plutôt étrange. Cela ressemblait à une boîte de métal sur deux longues pattes de métal, avec beaucoup de connecteurs électroniques à l'intérieur. Vincent lui aurait volontiers jeté un coup d'œil de plus près, mais il était distrait par le foin.

Le bureau possédait trois tiroirs et celui du milieu était ouvert et rempli de foin. Vincent estimait que c'était assez étrange, mais pas aussi étrange que ce qu'il vit par la suite. L'homme tendit paresseusement la main vers l'intérieur du tiroir, saisit une poignée de foin, puis se mit à la manger.

— Il… mange du foin, bégaya Vincent, observant la scène avec une fascination perplexe. D'ac-cord.

À ce moment même, un coup fut frappé à la porte. L'homme ferma violemment son tiroir, essuya les miettes de foin du devant de son complet et dit : « Entrez ».

Vincent se tourna pour voir qui entrait. Durant un instant, il craignit que ce fût Rennik, mais ce n'était pas lui. Au lieu de cela, il aperçut M. Wilkins.

— Ah, Francis, constata l'homme. Je viens tout juste d'avoir affaire avec nos amis en Chine, une tâche que je croyais vous avoir assignée.

— En effet, vous l'avez fait, monsieur Edwards, reconnut Wilkins. Cependant, dans ce cas…

— Avez-vous oublié notre arrangement ? continua M. Edwards. Je détesterais avoir à reprendre ma part de cette affaire.

— Je n'ai pas oublié, monsieur Edwards, indiqua Wilkins.

« Prends ça », pensa Vincent avec un sourire narquois.

— Je vois que vous ne l'avez pas fait, énonça M. Edwards. Ont-ils identifié la cause de l'alarme d'incendie ?

— Oui, monsieur Edwards, informa Wilkins. Il semble qu'un voyageur astral a infiltré l'édifice.

— Post-époque ? demanda M. Edwards.

— Non, monsieur, répondit Wilkins. Les démons disent que c'est un humain.

« Oh là là ! songea Vincent. Le père de Barnaby est au courant de la présence des démons. »

— Nenni ! dit M. Edwards. Cela complique les affaires. Qui est-ce ?

— Ils ne le savent pas encore, monsieur, annonça Wilkins. Cela pourrait être tout simplement un voyageur qui se trouve là par hasard, un humain qui ne sait pas ce qu'il...

— Même si c'est le cas, rétorqua sèchement M. Edwards, il va quand même voir des choses qu'il ne devrait pas voir. Nous sommes proches, Francis, très proches. Et je ne veux pas qu'un humain, surtout pas un humain qui peut effectuer un voyage astral, fasse circuler la rumeur. Je dois parler avec les autres. Amenez-moi vers mes jambes.

Wilkins fit le tour de M. Edwards et le souleva de sa chaise. Vincent émit un halètement astral. L'homme n'avait pas de jambes. Wilkins transporta son supérieur au-dessus de la boîte de métal non loin du bureau et le déposa à l'intérieur. Vincent comprit à ce moment-là : la boîte constituait une taille de métal, au-dessus de jambes robotiques.

— Viens, Francis, ordonna M. Edwards en marchant vers la porte. Ses jambes produisaient un léger son de changement électrique et les pas étaient bruyants.

— Monsieur, dit Wilkins avant qu'ils n'atteignent la porte, avec la fin de l'époque qui est si proche, et étant donné ce qui s'en vient, ne serait-il pas temps que mon fils soit amené ici ?

Edwards s'arrêta, puis se tourna vers lui.

— Nenni, Francis, refusa Edwards. Il faut considérer les apparences.

— Je ne pense guère que la disparition d'un garçon sera remarquée, prétendit Wilkins.

— Alors vous êtes un imbécile, répliqua Edwards. Il est surveillé, Francis. Possiblement par le même être qui accomplit son intrusion astrale dans cet édifice présentement. Si Barnaby était arraché de sa routine habituelle, cela enverrait le message clair, à ceux qui le surveillent, qu'il se passe quelque chose. Non, Barnaby reste là où il est. Pour le moment.

— Oui, monsieur, agréa Wilkins, manifestement mécontent mais tout aussi manifestement meurtri.

À cet instant même, Rennik entra en volant avec la langue complètement tendue.

— Rennik! prononça M. Edwards, effectuant un pas vers l'arrière pour éviter un coup de langue. Quelle est la signification de cette intrusion?

— Il est ici, expliqua Rennik. L'entité envahissante est ici, je peux le goûter!

Vincent se déplaçait déjà. Il sortit à toute vitesse du bureau, directement par la baie vitrée…

C'était magnifique. Grand, en forme d'arc et rayonnant de lumière : Vincent sut immédiatement que c'était le site du portail. Il miroitait; le portail lui-même avait l'air d'être fait de millions de cristaux brillants. La structure l'appelait, l'invitant à entrer.

Par contre, les gardiens de chaque côté du portail n'étaient pas si invitants. Plusieurs démons patrouillaient les alentours et deux hommes aussi grands que les gardes du corps de Barnaby Wilkins se trouvaient en face, tenant des mitrailleuses. Il était impossible que quiconque puisse se glisser devant eux. «C'est pas comme s'ils savaient que le portail est ici», pensa Vincent. L'édifice couvrait complètement le portail, le dissimulant pour qu'il soit hors de vue.

Vincent entendit un fracas derrière lui. Il pivota et vit Rennik qui planait dans la baie vitrée cassée, le regardant fixement.

— Tu ne peux pas m'échapper, indiqua le démon. Je peux te goûter. Je vais te trouver, peu importe où tu te caches.

— Laisse tomber, Rennik, intervint M. Edwards, arrivant à la fenêtre cassée près de lui. Je ne peux pas te voir, qui que tu sois, mais je sais que tu es là.

«Il me parle, songea Vincent, sentant un autre nœud de peur se former à l'intérieur de lui. Le type qui cache les sites du portail me parle!»

— Écoute bien, continua Edwards, regardant fixement en direction de Vincent. Tu en as trop vu. Je te retracerai et je te ferai taire.

Le cordon d'argent de Vincent se durcit et cette fois, il ne résista pas. Le cordon se tendit et propulsa sa forme astrale jusqu'à son corps.

Vincent se réveilla avec étonnement. C'était tellement rapide. Il n'avait aucun souvenir d'avoir voyagé à travers la ville et d'être revenu à l'hôpital ; c'était tout simplement arrivé.

Les nombreux avantages de sa forme astrale manquaient déjà à Vincent. Tout d'abord, son corps astral ne ressentait pas la douleur. Sa poitrine et sa mâchoire lui faisaient encore mal, mais pas autant qu'auparavant. Il s'en irait probablement à la maison aujourd'hui.

Vincent se força à se redresser dans une position assise et regarda autour de lui. Il lui tardait de dire à quelqu'un ce qu'il avait découvert, mais il n'y avait personne. Max dormait à poings fermés dans son lit et Grimbowl n'était tout bonnement pas là. Pourquoi l'elfe était-il parti? Qu'est-ce qui pouvait être plus important pour lui que l'information que Vincent possédait désormais?

Vincent se recoucha. Il ne pouvait rien faire jusqu'à ce que les elfes le contactent. Il pouvait réveiller son frère et lui parler, mais Max avait vécu beaucoup de choses et méritait son sommeil. Après tout, c'était l'avant-dernier qu'il aurait…

Vincent se rassit de nouveau, plus vite cette fois. Le monde avait moins de deux jours devant lui ; il restait peut-être seulement un jour maintenant. Le démon Bix avait appris la nouvelle à Vincent hier, à l'épicerie, à environ quatre heures de l'après-midi. Hier constituait-il l'un des deux jours? Ou était-ce deux jours plus hier? À quel moment s'était donc amorcé le compte à rebours des deux jours?

Vincent sortit du lit. Il était trop agité pour dormir et il restait si peu de temps. Il marcha vers le lit de Max et secoua son frère par les épaules. Alors qu'il s'exécutait, il entendit la porte s'ouvrir.

— Qu'est-ce que…? demanda Max en se réveillant.

— Quelqu'un est là, constata Vincent, se tournant plus vite que son corps le lui permettait. Si c'était un démon…

C'était un lutin. Pendant un bref moment, Vincent crut qu'il s'agissait de Nod. Ce n'était pas lui, mais Vincent la reconnut quand même.

— Clara, prononça-t-il alors qu'elle entrait en volant dans la chambre et atterrissait sur son lit.

— Qui? demanda Max tandis qu'il se redressait.

— Un des lutins, dit Vincent à son frère comme il se dirigeait vers elle.

— Vincent, qu'est-il arrivé ? s'informa-t-elle. Où est Nod ?

Vincent retourna à son lit et s'assit près d'elle. Il n'était pas prêt à lui révéler cela et il doutait de pouvoir le faire un jour. Il le fallait, cependant. Elle méritait de savoir.

— Il est mort, dévoila Vincent.

— Quoi ? réagit Clara. Quand ? Comment ? P... pourquoi ?

— Il est mort en me sauvant la vie, annonça Vincent, puis il lui relata ce qui était survenu la veille. Clara écouta silencieusement, puis elle demeura silencieuse durant quelques instants après qu'il eut terminé.

— Je savais qu'il était brave, dit Clara, essuyant les minuscules larmes de son visage. Je n'avais tout simplement pas réalisé jusqu'à quel point il l'était.

— Oui, il l'était.

Vincent et Clara se tournèrent et virent Grimbowl qui se tenait dans l'embrasure de la porte. Vincent craignait que les deux ne commencent à se battre, mais ils ne firent aucun geste l'un contre l'autre.

— J'étais sur le point de te raconter tout ceci un peu plus tôt, Vincent, indiqua Grimbowl. J'estime que tu mérites d'entendre ce qui va suivre toi aussi, lutin. Je me suis enfui de cette maison au premier signe de l'arrivée des démons et je suis allé rejoindre ma tribu — tu te souviens comme je t'avais dit que je les avais appelés, Vincent ? Eh bien, lorsque je les ai rencontrés dans le champ, je leur ai dit ce qui se passait et je leur ai suggéré de s'enfuir. Puis, je me suis tourné et j'ai vu votre ami qui courait vers nous, avec ces trois démons tout près derrière. Je savais que cela arriverait. Aussitôt qu'il nous a vus, il aurait pu mener les démons droit sur nous, puis il se serait enfui tandis que les démons détruisaient ma tribu.

«Sauf qu'il ne l'a pas fait. Il a changé de direction quand il nous a aperçus et a conduit les démons plus loin. Il aurait pu s'échapper. Les démons l'auraient complètement oublié s'ils nous avaient repérés. Au lieu de cela, il a sauvé ma tribu. Un lutin a donné sa vie pour que les elfes survivent. Je... je n'aurais jamais pensé voir cela un jour.»

Vincent déplaça son regard du lutin vers l'elfe, puis il réalisa qu'il venait peut-être d'être témoin du commencement d'une belle amitié. Les deux races pourraient peut-être finalement s'entendre l'une avec l'autre et être unies par leur but commun.

— Espèce d'abruti! rugit Clara, bondissant du lit et s'élançant sur Grimbowl. L'elfe fut surpris, mais pas assez pour ne pas être en mesure de s'esquiver. Clara sortit en volant par la porte ouverte, et Grimbowl la referma d'un coup de pied derrière lui.

— Satanés lutins! s'exclama-t-il. Je me vide les tripes ici et elle...

La porte s'ouvrit à la volée et frappa Grimbowl au visage. Il fut projeté sur le lit de Vincent, directement sur ses genoux, et Clara se trouvait tout juste derrière lui.

— Clara, att..., cria Vincent avant que le lutin pousse violemment Grimbowl contre sa poitrine avec suffisamment de force pour les jeter tous les deux sur le sol.

— Aïe..., gémit Vincent, serrant sa pauvre poitrine meurtrie.

— Brute! tonna Clara, ignorant Vincent alors qu'elle martelait le visage de Grimbowl. Sa tête heurta la poitrine de Vincent encore et encore avec chaque coup, et Vincent hurla de douleur.

— Arrête ça! ordonna Max d'une voix forte, bondissant de son lit et tirant Grimbowl d'un coup sec pour l'éloigner de son frère au moment même où Clara allait le frapper avec toute la force de son corps.

— Ouille! haleta Vincent alors qu'elle percutait ses côtes.

— Lâche-moi ! se démena Grimbowl, assénant un coup de pied à l'estomac de Max. Celui-ci se rabattit et tomba à la renverse, atterrissant tête première sur Clara, en plein dans les côtes de Vincent.

— Aaaïe ! cria Vincent, souhaitant une mort rapide, ou du moins l'inconscience.

— Descends de sur moi ! se fâcha Clara. Elle s'élança vers le haut, entraînant Max en l'air.

Et elle le laissa ensuite tomber. En plein sur la poitrine de Vincent.

— Ouuufff ! suffoqua Vincent, suite à quoi l'oubli providentiel vint le réclamer.

• • •

Il se réveilla une heure plus tard pour découvrir le Dr Ritchet en train de l'examiner. Il éprouvait une douleur atroce, mais sa souffrance s'apaisa quand il aperçut Clara et Grimbowl qui se trouvaient sur sa table de chevet. Les deux paraissaient penauds, leurs yeux semblant dire : « Désolé ».

— Tu vas t'en remettre, annonça le docteur à Vincent. Tu dois rester couché pour les prochains jours, et plus de bagarres ni de culbutes avec ton frère jusqu'à ce que tu te portes bien, c'est compris ?

Vincent hocha la tête et se tourna vers son frère qui se tenait assis sur le bord de son propre lit. Max lui adressa un demi-sourire, lequel fit des merveilles pour le bien-être de Vincent. Il ne pouvait pas se rappeler s'il avait déjà vu son frère sourire avant aujourd'hui.

Le Dr Ritchet quitta la chambre, puis Vincent pivota et sourit à ses amis.

— Je vais bien, les rassura-t-il. Mais si vous recommencez à vous battre tous les deux, je vais…

Il s'arrêta et écouta. Un bruit provenait du corridor : «doum, doum, doum»; léger au début, mais devenant régulièrement plus fort. Vincent savait qu'il avait déjà entendu ce bruit, mais avant qu'il n'ait pu le replacer, Rennik pénétra dans la chambre.

— C'est lui! déclara le démon. C'est lui qui s'est infiltré dans l'édifice.

Vincent entendit deux ou trois autres «doums» bruyants et métalliques, puis M. Edwards apparut dans l'embrasure de la porte, flanqué de deux gardes du corps.

— Juste ciel, prononça Vincent.

Ce n'était pas bon. Absolument pas.

«Ce n'est qu'un gamin, constata M. Edwards, ses jambes
robotisées l'entraînant dans la chambre. Ce n'est pas ce à
quoi je m'attendais. Comme c'est intéressant.»

Vincent remonta ses draps de lit plus haut, pour tout le
bien que cela lui ferait. Edwards lui-même avait l'air assez
inoffensif et Vincent savait que le démon Rennik ne pouvait

pas lui faire de mal. Les deux gardes du corps vêtus de noir, par contre, semblaient avoir envie de lui fracturer les os. Les deux étaient grands, mais pas autant que les anges gardiens de Barnaby Wilkins, et ils portaient des masques et des gants de protection d'apparence robotique. Ils ne paraissaient pas avoir d'armes à feu, mais Vincent se doutait qu'ils possédaient d'autres armes.

— Laissez mon frère tranquille! avertit Max, bondissant de son lit et bloquant le chemin de M. Edwards. Je ne sais pas qui vous êtes, mais...

Les mains de l'un des gardes du corps s'ouvrirent et des éclairs électriques jaillirent de ses gants. Ils touchèrent Max à la poitrine et le projetèrent à travers la chambre.

— Max! cria Vincent.

— Tu aimes ça? demanda l'homme aux jambes de métal. Nous avons développé ces gants pour les militaires, mais le reste de ces garçons... — il en tapa un dans le dos — ont été construits pour moi seul.

«Oh», pensa Vincent, les observant de plus près. Ils ne portaient pas du tout de masques d'allure robotique; c'étaient leurs vrais visages.

— Qui êtes-vous? interrogea Vincent.

— Mon nom, indiqua l'homme aux jambes de métal, est Pharley Seamore Edwards, président-directeur général de la société Alphega et patron de cet hôpital. Tu es entré par effraction dans la tour de ma succursale... à deux reprises, si je comprends bien. J'aimerais savoir pourquoi.

— En fait, c'était seulement une fois, corrigea Vincent, ses yeux se déplaçant d'Edwards à la silhouette immobile de Max. Cette première fois, je ne me suis jamais rendu plus loin que le stationnement.

— Il s'agit encore là d'une propriété privée, fit remarquer M. Edwards.

— Ouais! ajouta Rennik.

— Restez… loin… de mon frère, ordonna Max, parvenant à lever la tête. Et enlevez… le démon… de ma vue.

M. Edwards releva un sourcil avec surprise.

— Vous pouvez le voir ? Comme c'est intéressant. La plupart d'entre vous ne peuvent pas voir les démons.

Quelque chose que M. Edwards venait de dire embêtait Vincent. Avant qu'il n'ait le temps d'y réfléchir davantage, toutefois, la porte s'ouvrit et le Dr Ritchet se précipita à l'intérieur.

— Que se passe-t-il ici ? s'enquit le docteur, une fraction de seconde avant que l'un des gardes du corps le saisisse et le suspende en l'air. Qu'est-ce que… laissez-moi descendre ! Laissez-moi descendre ! Sécurité !

— Ce ne sera pas nécessaire, indiqua M. Edwards en faisant un geste à son gardien pour qu'il repose le docteur par terre. Nous avons une discussion privée et nous apprécierions ne pas être interrompus. Est-ce clair ?

— Mais… le garçon, prononça le Dr Ritchet en désignant Max.

— Est-ce clair ? répéta M. Edwards.

Le docteur effectua un signe de tête affirmatif, puis pivota et quitta rapidement la chambre.

— Tout le monde a-t-il peur de vous ? questionna Vincent.

— Ils devraient, répondit M. Edwards. Tout comme tu ne devrais plus jamais tenter de t'infiltrer dans mon édifice. Je détesterais penser que je pourrais porter plainte contre toi… Il marqua un temps, puis regarda le tableau au bout du lit de Vincent : « Vincent Drear ».

Vincent repoussa les couvertures et se redressa. Ça lui faisait mal de faire ça, mais Vincent voulait s'adresser à son ennemi avec autant de dignité qu'il le pouvait. Les gardes du corps dirigèrent leurs mains vers lui, mais M. Edwards leur fit signe de les baisser. Manifestement, il voyait Vincent comme quelqu'un qui ne constituait pas une menace immédiate.

— Monsieur Edwards, dit Vincent, si quelqu'un, ici, est coupable d'un crime, c'est vous. Vos démons ont attaqué et blessé mes amis, mon frère et moi-même. Il fit une pause, se souvenant de Nod. Mais pire encore, vous et votre corporation mettez le monde entier en danger en cachant les sites du portail. Vous devriez…

— Les sites du portail? répéta M. Edwards. Mon Dieu, n'en savons-nous pas beaucoup? Il ne fait aucun doute que ton ami lutin t'a parlé d'eux avant qu'il ne soit dévoré.

Le visage de Vincent s'assombrit, puis il serra les poings.

— C'est ce qui arrive à tous ceux qui s'opposent à moi, poursuivit M. Edwards, appréciant de façon évidente la colère de Vincent. Si tu veux éviter un destin semblable, je te suggère de rester loin. Du moins — son sourire s'élargit — au cours des prochaines vingt-six heures.

— Espèce de monstre! cria Vincent, s'approchant d'un pas de plus. Les gardes du corps levèrent leurs gants de nouveau, et il recula d'un pas.

— Pour être certain que tu conserves bien tes distances, enchaîna M. Edwards, je vais laisser Rennik avec toi. Il te disciplinera.

— Il ne peut pas me faire de mal, fit remarquer Vincent.

— Pas encore, répliqua M. Edwards, mais il peut faire du mal à tes amis. Approche de mon édifice, et il le fera.

— Tu ferais bien de le croire, menaça Rennik.

— Il ne les touchera pas, avertit Vincent. Je vais le tuer avant ça.

M. Edwards et Rennik se mirent à rire en entendant cela.

— Vincent Drear, sermonna M. Edwards, tu ne peux pas tuer Rennik, c'est un démon. C'est tout simplement impossible. Les démons sont les machines à tuer les plus puissantes, les plus parfaites qui existent. Ils peuvent résister aux pressions du fond de l'océan, ils peuvent nager à travers la lave en fusion et ils peuvent même supporter le vide froid de l'espace intersidéral. Les armes humaines ne peuvent pas les tuer; au mieux, elles peuvent seulement les ralentir. Il n'y a rien dans le monde matériel qu'ils ne puissent détruire et ils peuvent résister à tout. Ils sont, en un mot, invincibles.

— Alors, vas-y de ton meilleur coup, défia Rennik en arborant un large sourire suite à toute la flatterie dont il venait de faire l'objet.

«Oh, je le ferai, pensa Vincent, je le ferai.»

— Quoi qu'il en soit, quel est votre plan démoniaque? voulut savoir Vincent. Attendre jusqu'à la dernière minute et faire payer ensuite aux gens des millions de dollars pour utiliser les portails?

— Non, mon garçon, contredit M. Edwards. Mon plan démoniaque consiste à m'assurer que personne ne les franchira. Pendant des siècles, vous, les humains, avez détruit cette magnifique planète. Vous polluez, détruisez et ne créez rien que des déchets. Et à présent, vous passeriez à travers un portail et laisseriez votre saleté derrière vous? Je ne pense pas. Vous ne méritez pas ce monde. Vous ne l'avez jamais mérité. Et vous ne méritez certainement pas une seule chance de vous échapper.

Une fois de plus, quelque chose embêta Vincent. La façon dont M. Edwards avait dit : «Vous, les humains».

— Maintenant, tu vas m'excuser, indiqua M. Edwards, mais j'ai une compagnie à diriger. Passe une bonne journée, ajouta-t-il alors que ses jambes robotiques le faisaient pivoter vers la porte. C'est, après tout, la dernière de ta vie.

Vincent jeta un regard mauvais à M. Edwards. Il avait désespérément besoin de faire quelque chose, de sorte qu'il trébucha vers l'avant et énonça la première chose qui lui vint à l'esprit.

— Pourquoi mangez-vous du foin? demanda Vincent.

M. Edwards s'arrêta, son pied gauche s'arrêtant à quelques centimètres au-dessus du sol. Il se retourna, puis

Vincent distingua de la colère sur son visage. De la colère, et même de la peur. Rennik, qui avait reluqué Vincent, se tourna et jeta à son patron un coup d'œil interrogateur.

— Chacun son truc, justifia M. Edwards, puis il se détourna et quitta la chambre.

Quand Edwards et ses gardes du corps furent partis, Vincent boitilla jusqu'à son frère. Pendant ce temps, le Dr Ritchet revint.

— Les garçons, est-ce que vous allez bien? s'informa-t-il, s'accroupissant auprès de Max.

— Je vais survivre, rassura Max.

— Pas pour très longtemps, ricana Rennik.

— Pourquoi n'avez-vous pas appelé la sécurité? reprocha Vincent alors que le Dr Ritchet l'aidait à retourner à son lit. Je veux dire, il nous a attaqués. Il devrait être enfermé.

— M. Edwards est un excellent pilier de cette communauté, expliqua le docteur, s'orientant pour aider Max. Et sa compagnie fournit tout notre équipement, nos médicaments, et même les repas. L'accuser d'un crime signifierait porter un coup sérieux à cet hôpital. Par conséquent, il ne vous a certainement pas attaqués.

Dans le coin, Rennik riait.

— Ce n'est pas la vérité! se révolta Max tandis que le Dr Ritchet l'aidait à se remettre au lit.

— À présent, reposez-vous un peu, conseilla le docteur. Je viendrai m'assurer que vous allez bien un peu plus tard, les garçons.

— C'est dégoûtant, s'indigna Max en décochant un regard mauvais au docteur qui se hâtait de quitter la chambre. Cet homme ne respecte pas la Vie. Dans son âme, il n'est pas mieux que cet homme nommé Edwards.

— C'est vrai, agréa Vincent. Mais au moins, il ne mange pas de foin.

— Edwards a vraiment fait ça? s'étonna Max.

— C'est ce que j'ai vu, répondit Vincent, examinant le visage de Rennik. Le démon ne savait manifestement pas quoi faire de cette parcelle d'information. D'ailleurs, Vincent non plus.

— Pourquoi ferait-il ça ? interrogea Max.

— Comment pourrais-je le savoir ? rétorqua Vincent.

À ce moment précis, la porte s'ouvrit et Clara entra en volant.

— Bonne nouvelle ! annonça le lutin. Chanteuse est consciente et…

Elle s'interrompit, remarquant soudain Rennik. Le démon se tourna vers elle et lui adressa un sourire de toutes ses dents.

— C'est l'heure du dîner, prononça Rennik avant de charger.

Avec l'estomac rempli d'effroi, Vincent observa Rennik alors qu'il attaquait Clara. Le lutin planait dans l'embrasure de la porte, pétrifiée par la peur. Elle serait morte séance tenante n'eût été d'un texte du Triumvirat expédié dans les ailes de Rennik.

— Je l'ai eu ! s'écria Max triomphalement.

Le coup fit chuter le démon un mètre plus bas, le faisant continuer prestement sous le lutin terrifié et à travers l'embrasure de la porte.

Clara se ressaisit et se précipita vers la fenêtre, la brisant avec fracas. Vincent se leva et courut vers la porte, ayant l'intention de la refermer dans le but de garder le démon à l'extérieur. Il eut à peine le temps d'effectuer deux enjambées avant que Rennik ne revienne à la charge dans la chambre pour ensuite s'engouffrer par la fenêtre brisée.

Sans réfléchir, Vincent bondit et saisit le démon par la jambe droite. Il se fit mal en s'accrochant, mais il tint le coup, et son poids supplémentaire éloigna le démon de la fenêtre, le faisant entrer en collision avec le mur le plus proche. Avec un craquement sonore, Rennik passa à travers le mur, entraînant Vincent par le trou créé dans la pièce d'à côté.

La chambre était de la même grandeur que celle de Vincent et de Max, et elle renfermait également deux lits et une fenêtre. Les lits se trouvaient occupés par des adolescentes, et il y en avait une que Vincent ne connaissait pas. Elle poussa un cri en sursautant, tout comme Vincent quand il reconnut la fille dans le deuxième lit.

C'était Chanteuse et elle affichait un air terrible. Son visage se voyait couvert de bleus et bandé, mais ses yeux étaient ouverts et éveillés. Grimbowl se trouvait près de Chanteuse, et quand il vit le démon, il hurla de terreur.

Rennik s'immobilisa tout d'un coup et pivota, secouant Vincent afin que ce dernier le lâche. Le garçon s'écrasa sur la table de chevet entre les deux lits, renversant le plateau du déjeuner des filles partout sur lui.

— Aïe! gémit Vincent alors qu'il chutait de la table de chevet sur le sol.

— Aïe! se lamenta Rennik, agrippant sa tête. Il avait frappé Vincent et sa punition était intense.

«Génial, songea Vincent. Tout ce que je dois faire, c'est l'amener à me faire très mal et il sera acculé au pied du mur en moins de deux.»

Il y eut un autre fracas sonore tandis que Clara faisait irruption par la fenêtre. Rennik, qui avait reporté son attention vers Grimbowl, leva les yeux à temps pour voir le lutin agripper un morceau de verre en l'air et le lui enfoncer comme un poignard. L'impact le propulsa à un mètre de distance, mais le verre ne put lui perforer la peau. S'esclaffant, Rennik repoussa Clara, puis il s'élança à sa poursuite.

— Que se passe-t-il ici? demanda une infirmière, passant la tête par l'embrasure de la porte.

Clara vola vers la porte, puis se déporta sur sa gauche à la dernière seconde. Le démon, désorienté, fonça dans la porte, heurtant la tête de l'infirmière et la faisant tomber dans les pommes.

— Aaagh! cria Rennik, agrippant de nouveau sa tête alors qu'il tournait sur lui-même en éprouvant une douleur atroce. Clara saisit la table de chevet sur laquelle s'était écroulé Vincent, la souleva, puis l'utilisa comme un bélier pour pousser Rennik par la fenêtre. Vincent entendit un craquement qui, comme il l'avait correctement deviné, correspondait au bruit du lutin qui mettait la table de chevet dans la fenêtre, la bouchant efficacement.

«Cet obstacle ne résistera pas longtemps à Rennik», évalua Vincent pendant qu'il essayait de se relever. Le contenu des sacs à main des filles s'était renversé sur le sol et le plateau de plastique avait déversé sa charge sur sa chemise de nuit. Un des sacs à main appartenait sans aucun doute à Chanteuse; il était cousu à la main, et la laque pour cheveux ainsi que le rouge à lèvres étaient faits d'ingrédients entièrement naturels et biologiques.

«Ces choses ne seront pas utiles contre un démon, pensa Vincent au moment même où il enlevait les œufs brouillés et les crêpes de sa poitrine. Elles sont toutes naturelles…»

Une grande idée lui vint à l'esprit. Elle ne fit pas que s'accrocher à Vincent, elle le saisit par le tronc cérébral et le secoua violemment. Malheureusement, l'adolescente dans l'autre lit l'interrompit dans sa réflexion.

— Où est mon sac à main? demanda-t-elle. Hé, c'est mon petit-déjeuner!

— Désolé… Lori, s'excusa Vincent après avoir jeté un regard furtif sur son badge du côté de l'autre sac à main. Si tu veux vraiment le savoir, le petit-déjeuner est sur moi.

Il leva les yeux et vit Clara et Grimbowl qui se disputaient mutuellement sur le lit de Chanteuse. Clara voulait se battre avec le démon qui allait revenir incessamment pour les achever. Le point de vue diamétralement opposé de Grimbowl suggérait plutôt de courir et de ne pas regarder en arrière.

— Clara, Grimbowl, cessez de vous chamailler et venez ici, ordonna Vincent, saisissant ensuite une poignée d'œufs brouillés. Laissez-moi mettre ça sur vous. Ça cachera votre saveur avant que…

Subitement, la table de chevet coincée dans l'appui de fenêtre vola en éclats alors que Grimbowl se frayait un chemin à travers. Clara monta en flèche vers l'avant et repoussa Vincent sur le lit de Lori, lui épargnant d'avoir le visage couvert de pointes de bois.

— Hé! Descends de sur moi! clama Lori, repoussant Vincent de son lit. Alors qu'il tombait, sa tête heurta violemment Clara, et dans son état étourdi, elle chuta droit vers la gueule ouverte de Rennik.

C'en aurait été fini d'elle si Max n'avait pas ouvert la porte avec force et donné un coup à Rennik sur le côté de la tête. Il tournoya sur lui-même vers le lit de Chanteuse, atterrissant durement sur l'estomac de l'adolescente.

— Ouf! gémit Chanteuse.

— Aïe! se plaignit Rennik, agrippant sa tête une fois de plus.

Clara chuta sur le sol, évanouie, en produisant un léger «pouf».

— Vincent! s'exclama Max, ignorant les autres tandis qu'il apercevait son frère. Es-tu blessé? Il se précipita, marcha sur quelque chose de rond et lisse, puis tomba par en arrière sur son derrière. La chose ronde et lisse fut propulsée vers l'avant et rebondit sur le visage de Vincent.

— Aïe! gémit Vincent. Ce n'était tout simplement pas sa journée.

Rennik se leva sur l'estomac de Chanteuse et repéra Grimbowl à l'extrémité du lit. Il s'avança vers l'elfe, mais Chanteuse se redressa et lui saisit les pattes.

— Non, tu ne feras pas ça, s'objecta-t-elle.

— Oui, je vais le faire! affirma Rennik, faisant battre ses ailes et entraînant Chanteuse avec lui.

Grimbowl bondit hors du lit et atterrit sur Max, lequel venait de se lever. Max retomba en arrière et Grimbowl roula en bas de lui, puis l'elfe se précipita vers la porte. Mlle Sloam entra à cet instant précis, et Grimbowl se rua droit sur elle. Il tomba à la renverse et Rennik chargea, traînant toujours Chanteuse derrière lui.

— Laisse ma fille tranquille! hurla Mlle Sloam, administrant un coup de poing dans le côté du corps de Rennik. Le démon fut propulsé vers la fenêtre, s'étranglant, pendant que Chanteuse perdait prise sur lui et s'effondrait sur le sol.

— Chanteuse! cria Mlle Sloam, s'accroupissant et aidant sa fille à se relever. J'étais tellement inquiète, je pensais que je te perdrais.

— Oh, maman! s'exclama Chanteuse en refermant ses bras autour du cou de sa mère. Je vais bien.

Max aida Vincent à se remettre sur pied. Vincent éprouvait plus de douleur qu'il ne pouvait en supporter, mais le fait d'entendre de nouveau la voix de Chanteuse lui fit presque oublier sa terrible souffrance. Presque. Mais il se sentait aussi bien qu'il était possible de l'être dans les circonstances.

Rennik récupéra, puis s'envola hors de la portée de Mlle Sloam. Il se tourna et baissa les yeux, puis aperçut Grimbowl et Clara qui étaient étendus tous les deux sur le sol.

— Un tel choix, constata Rennik, la bouche grande ouverte. Je choisis… l'elfe !

Vincent vit le démon commencer à plonger, puis il remarqua la chose ronde et lisse qui l'avait heurté. Elle avait roulé de l'autre côté du plancher, là où Grimbowl se trouvait étendu, et un mot sur son côté retint l'attention de Vincent : aérosol.

Il bondit vers l'avant, attrapant la bouteille de métal. Dans son esprit, il voyait le démon qu'il avait aspergé de fromage fondu dans la bouche avec le pulvérisateur. Cela avait agi plus qu'une simple mise en retrait, et Vincent savait enfin pourquoi. Le fromage était traité, et donc rempli de produits chimiques.

Il était artificiel.

Tout comme cette laque. Contrairement aux produits tous naturels de Chanteuse, il était rempli d'un aérosol nocif pour l'environnement et qui détruisait la couche d'ozone. Et il arborait même une étiquette indiquant qu'il était toxique si absorbé.

Rennik se précipita vers le bas, directement vers le corps immobile de Grimbowl.

Vincent atterrit au-dessus de l'elfe, dirigea l'aérosol vers le haut, puis vaporisa dans la gueule du démon.

— Whouah ? fit Rennik, s'arrêtant juste au-dessus d'eux. Il fut tout d'abord simplement surpris, mais il s'éloigna ensuite du pulvérisateur et mit ses mains sur sa gueule.

— Arrrgggglll! cria-t-il, la bouche écumant, ses ailes battant de façon tellement erratique qu'il s'effondra par terre. La peau de Rennik changea de couleur, passant d'un rouge ardent à un rose douceâtre.

— Que se passe-t-il? questionna Chanteuse tandis que sa mère la couchait sur le lit. Que lui as-tu fait?

Vincent ne dit rien. Il rejeta la bouteille, se sentant mal de l'avoir touchée.

— Hé! prononça Lori. C'est ma laque!

Vincent voulait détacher son regard de Rennik, mais il ne le pouvait pas. Il sentait qu'il devait voir ça, pour qu'il soit témoin de ce qu'il avait fait.

— Qu'ai-je fait? demanda Vincent à tous ceux qui étaient présents dans la chambre.

— Tu as découvert quelque chose qui peut faire mal à un démon, répondit Clara, se redressant sur le sol où elle avait atterri. Et tu lui as vraiment fait mal.

Rennik se trouvait étendu sur le plancher, de l'écume à la bouche. Ses ailes s'étaient flétries, ses yeux étaient injectés de sang et sa langue…

— Gargl, s'étouffa Vincent, finalement incapable d'en supporter davantage. Personne ne mérite ça.

— Il l'a mérité, contredit Clara. Et l'elfe serait d'accord avec moi.

— C'est bien le cas, confirma Grimbowl, se relevant du plancher. Bien joué, le jeune.

— Qu'est-ce que c'est que tout cela?

Ils se tournèrent et virent le Dr Ritchet dans l'embrasure de la porte. Son regard balaya la pièce, en état de choc, puis le docteur baissa les yeux vers son infirmière inconsciente gisant par terre.

— Infirmière! s'exclama-t-il, s'abaissant pour lui jeter un coup d'œil. Que s'est-il passé ici?

— Bigre, fit Vincent, puis il s'efforça de penser à quelque chose rapidement.

Quand l'infirmière fut examinée, le Dr Ritchet retourna à la chambre de Chanteuse et exigea une explication une fois de plus. Pendant ce temps, l'esprit de Vincent n'avait rien pu inventer.

— Ils lançaient des choses partout, se lamenta Lori en se recroquevillant dans son lit. Je l'ai vu!

— Nous étions uniquement en train de… relâcher la pression, indiqua Max.

— Deux fenêtres brisées, un trou dans le mur, des meubles endommagés, énuméra le Dr Ritchet. Cela m'a l'air d'être plus que relâcher…

— Le Dr Ritchet est demandé à la chambre 308, appela une voix par le biais de l'interphone. Urgence à la chambre 308.

— Je vais m'attendre à recevoir une bonne explication lorsque je reviendrai, informa le Dr Ritchet, puis il franchit la porte à la hâte.

Et un moment plus tard, Grimbowl revint en trombe.

— Le nigaud, se moqua-t-il. C'était facile!

— C'était toi? s'étonna Vincent en riant.

— Méchante créature, prononça Chanteuse, et on ne pouvait pas se méprendre sur le sourire qu'elle avait aux lèvres.

Vincent se sentait bien. Il ressentait une montagne de douleur et il pouvait avoir été responsable de la mort d'une créature vivante, mais voir son amie blessée sourire à l'elfe semblait donner l'impression que tout allait bien. Grimbowl et Chanteuse étaient amis de nouveau et tout était comme il se devait.

Il y avait de l'émoi dans le couloir, et cela fut suivi de plusieurs bruits sourds. Vincent se tourna pour regarder vers la porte, puis ses bons sentiments s'évanouirent. Barnaby Wilkins était là, et un instant plus tard, Bruno et Boots se joignirent à lui. Bruno tenait un jeune adolescent à l'envers dans sa main : le gros Tom.

«Oh, voyons, pensa Vincent. Est-ce que toutes les personnes que je déteste vont s'arrêter à cet hôpital?»

— Te voilà, dit Barnaby alors qu'il entrait dans la chambre. Est-ce que nous arrivons à un mauvais moment? s'enquit-il, remarquant la destruction ambiante.

— Qui sont ces types? demanda Lori.

— Des nuisances, répondit Vincent. Qu'est-ce que tu veux, Barnaby ?

— Je veux une explication, répondit Barnaby, pour cela.

Bruno souleva le gros Tom plus haut, puis l'agita comme un drapeau.

— Pourquoi l'as-tu envoyé entrer par effraction dans ma maison ? interrogea Barnaby, fixant Vincent du regard.

— De quoi parles-tu ? questionna Vincent. Il avait espéré pouvoir rencontrer le gros Tom à un moment donné afin de pouvoir s'excuser d'avoir tapé sur lui la veille. Malheureusement, les circonstances n'étaient pas celles qu'il avait souhaitées.

— Ne joue pas à l'imbécile, prévint Barnaby. Même si tu en es un. Le gros Tom a dit que tu lui avais demandé d'entrer furtivement dans ma maison et de voler la carte d'accès de mon père. Je veux savoir pourquoi.

Vincent leva les yeux vers son ami, se demandant ce qui lui avait pris de pénétrer illégalement dans la résidence de Barnaby, pour ensuite lui en faire porter le blâme. Le gros Tom le regarda à son tour sans pouvoir intervenir, puis il lui indiqua son nez. Vincent comprit immédiatement ; le gros Tom avait un obyon dans la tête. Les elfes, supposant que Vincent se trouvait dans l'impossibilité d'agir, avaient choisi un nouvel esclave. Vincent jeta un regard mauvais à Grimbowl, lequel haussa les épaules.

— Ne me regarde pas, se défendit l'elfe. J'ai été ici toute la nuit.

— Tu n'as pas envie de répondre ? interrogea Barnaby, ne se rendant pas compte que l'elfe avait parlé. D'accord, nous allons employer la méthode dure. Et il enfonça son poing dans l'estomac de Vincent.

Vincent s'effondra, l'air expulsé de ses poumons l'empêchant de hurler. D'accord, il ne s'agissait pas d'un coup dans la poitrine, mais ça s'avérait tout de même assez proche. Il s'affala sur le sol, essayant d'absorber de l'air, et Barnaby sourit.

Max réagit le premier. Il décocha un coup de poing à Barnaby, mais Boots saisit son poing et lui tordit le bras derrière le dos. Clara s'envola et tenta de l'attaquer, mais Bruno riposta de son autre main et l'attrapa comme un moustique. Elle se débattit, mais ne parvint pas à se libérer.

Même dans sa douleur, ces actions n'étaient pas perdues pour Vincent. « Il peut voir les lutins, songea Vincent. Et il est plus fort qu'elle. Aucun être humain ne pourrait être aussi fort. »

— Aucun être humain n'est aussi fort, énonça Grimbowl, en arrivant à la même conclusion. Ces gardes du corps sont des trolls !

Les deux gardes du corps tournèrent à peine la tête et baissèrent les yeux vers lui. Une boule se forma dans la gorge de Grimbowl, puis il s'effondra sur le sol.

— Tu as envie de parler maintenant, espèce de perdant ? s'exclama Barnaby, regardant fixement Vincent.

— Arrêtez cela tout de suite ! intervint Mlle Sloam alors qu'elle effectuait un grand pas vers l'avant. Vous ne pouvez pas entrer ici et faire du mal aux gens, c'est un hôpital ! Vous les laissez tranquilles immédiatement ou…

— Faites-la taire, ordonna Barnaby.

Boots hocha la tête et envoya sa jambe droite dans la poitrine de Mlle Sloam. Elle tomba à la renverse et entra en collision avec le mur assez fortement pour laisser une empreinte dans le plâtre, puis elle s'écroula sur le sol.

— Maman ! cria Chanteuse, se précipitant pour lui venir en aide.

— Aaaah… aaaah…, marmonna Lori, trop effrayée pour hurler.

— Oooh, fit Barnaby, manifestement surpris de ce que Boots venait de faire. Est-elle…?

— Ouais, confirma Boots. Il avait l'air de quelqu'un qui venait de signer un chèque ou d'arroser une plante ; le fait qu'il ait administré un coup mortel ne signifiait rien du tout pour lui.

— Je ne voulais pas… je voulais seulement… qu'elle se taise, prononça Barnaby en commençant à trembler.

— Et elle est silencieuse, fit remarquer Boots.

— Espèce de monstre ! s'écria Chanteuse.

— Tu veux être la suivante ? menaça Boots.

— Heu… laissons tomber, les gars, d'accord ? proposa Barnaby, reculant vers la porte.

— Nous n'avons pas ce pour quoi nous sommes venus, indiqua Bruno.

— Ça ne m'intéresse plus, expliqua Barnaby. Fichons le camp d'ici, d'accord ?

— Non, refusa Bruno.

— Non ? répéta Barnaby, oubliant son horreur et passant à un état sidéré. Vincent supposa, correctement, que les gardes ne lui avaient jamais dit non auparavant.

— Ce jeune a essayé de pénétrer par effraction dans le siège social de la société Alphega, rappela Bruno, secouant le gros Tom. Il va nous dire pourquoi.

— J'ai dit que nous partons ! s'exclama Barnaby. Vous faites comme je dis ! Vous êtes mes gardes du corps et je vous paie pour faire ce que je dis.

— Non, corrigea Bruno. La compagnie de ton père nous paie pour protéger la compagnie et ses intérêts.

— Et pour l'instant, enchaîna Boots, découvrir ce que ce jeune sait constitue une plus grande priorité que garder un garnement gâté.

— N'interprète pas mal ce que nous te disons, ajouta Bruno d'une voix plus forte que les éclats de voix outrés de Barnaby, nous avons passé de bons moments avec toi. Casser la figure à ces crétins fut un immense plaisir.

— Mais nous avons le devoir de protéger la compagnie de toute menace, précisa Boots. Et ce jeune s'est avéré une menace. Alors, pourquoi ne te la fermes-tu pas et ne nous laisses-tu pas effectuer notre boulot ?

La bouche de Barnaby s'ouvrit et se referma à quelques reprises pendant qu'il s'efforçait de penser à ce qu'il devait dire. Finalement, il ne prononça rien et fit un pas vers l'arrière, semblant totalement vaincu.

— Et maintenant, dit Boots, ramenant son attention vers Vincent. Mon gars, à moins que tu ne me dises tout ce que tu sais, je vais casser les bras de ton frère.

— Encore mieux, ajouta Bruno, repoussant le gros Tom de l'autre côté de la chambre pour ensuite serrer Clara des deux mains, commence à parler ou j'écrabouille le lutin.

Vincent se redressa.

— Que voulez-vous savoir ? demanda-t-il avec une respiration sifflante.

Boots ouvrit la bouche pour répondre quand soudain quelque chose le frappa violemment à l'arrière de la tête. Il trébucha vers l'avant, surpris et manifestement blessé, puis il tendit la main pour palper son crâne.

— Qu'est-ce que…, balbutia-t-il, regardant ses doigts. Ils étaient tachés de sang, son sang, qui provenait d'une longue entaille sur son cuir chevelu.

Puis, quelque chose le frappa dans l'estomac. Bruno se replia, conservant à peine sa prise sur Clara. Et quelque chose entailla ensuite son avant-bras, juste en dessous du poignet. Bruno poussa des cris de surprise, de douleur et même de peur, et la main qui retenait Clara s'ouvrit.

Boots observa la scène avec plus qu'un peu d'intérêt alors que son collègue s'effondrait sur le sol, frappé par la force invisible et la colère libérée de Clara. Il se tint prêt, serrant Max encore plus fortement, préparé pour une attaque soudaine.

— Vous.

Il se tourna et vit Mlle Sloam qui s'était remise sur pied près de lui. Ses yeux s'agrandirent de surprise, mais le reste de sa personne ne réagit pas assez vite. Le poing de la mère de Chanteuse rentra dans son visage, cassant ses lunettes de soleil noires et lui brisant le nez. Boots tomba à la renverse, libérant Max alors qu'il perdait pied, puis il s'écroula sur le lit de Lori.

— Aieeee, se lamenta Lori, retirant ses pieds de sous le garde du corps. C'est beaucoup trop bizarre.

— Maman! s'écria Chanteuse avec surprise.

— Je croyais qu'il vous avait tuée, ajouta Vincent, tout aussi surpris par sa guérison soudaine.

— Il en faut plus que ça, dévoila Mlle Sloam, pour tuer un troll.

Chanteuse, Max et Vincent la dévisagèrent, leur étonnement et le choc les laissant littéralement bouche bée.

— Maman? prononça Chanteuse.

— C'est une longue histoire, chérie, indiqua sa mère. J'allais te la raconter un jour, mais…

— Je pense que c'est la journée des surprises, hein?

Tout le monde pivota et regarda. Il semblait que la voix était venue des airs, au-dessus du lit de Chanteuse. Vincent scruta l'endroit et il vit surgir une personne minuscule.

— Nod! cria Vincent.

— Nod! cria Clara elle aussi, ravie.

— C'est ça, révéla Nod alors qu'il détachait la poche du tablier de Chanteuse qu'il avait arrachée. Les renseignements au sujet de ma mort étaient tout simplement faux.

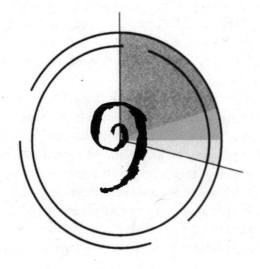

Vincent ne pouvait pas se rappeler la dernière fois où il avait été si heureux. Il dévisageait Nod, qui planait au-dessus du lit d'hôpital de Chanteuse, avec un large sourire qui s'étirait sur son visage. Il aurait serré le lutin dans ses bras si Nod n'avait pas été aussi petit.

Clara n'hésita pas. Elle se précipita dans les bras de Nod et le tint fermement.

— Je pensais que je t'avais perdu, confia-t-elle.

— Pendant quelque temps, avoua Nod, j'ai pensé que je m'étais perdu, moi aussi.

— Impossible, intervint Max. J'ai vu les démons te rattraper.

— Ils m'ont presque eu, leur indiqua Nod. J'ai dû utiliser chaque truc que je connaissais pour rester en avant. Puis, je suis revenu à la maison de Chanteuse et j'ai ramassé ce tablier. À la seconde où je l'ai eu sur moi, ils ont perdu ma trace. J'ai déchiré la poche pour que ce soit plus facile à porter, puis je suis venu vous retrouver, les amis. C'est une bonne chose que je sois arrivé ici à ce moment.

« Et maintenant, vous allez devoir m'excuser. »

Nod se détacha de l'étreinte de Clara, se laissa tomber sur le lit, puis saisit la poche du tablier.

— Tu t'en vas? demanda Chanteuse.

— Je dois partir, expliqua Nod. Lorsque j'enlève cette chose, je redeviens visible pour la langue des démons. Ils vont se remettre à ma poursuite, alors, je dois filer.

— Laisse-les venir, dit Vincent. Nous pouvons les arrêter, à présent. Regarde.

Nod dirigea ses yeux vers ce que Vincent désignait et il vit Rennik étendu dans le coin. Il eut un moment de panique, puis il réalisa que le démon était trop malade pour bouger.

— Comment? questionna-t-il, levant les yeux avec stupéfaction vers Vincent.

— Je viens tout juste de le comprendre moi-même, révéla Vincent, s'assoyant sur le lit. Son exaltation à la vue de son ami lutin s'était dissipée et sa douleur s'avérait une fois de plus insupportable. Je vais tout te raconter à ce sujet dès que quelqu'un m'aura accordé un peu d'assistance médicale.

— Moi aussi, prononça le gros Tom en se redressant. Ma tête me fait souffrir.

Vincent jeta un coup d'œil à son meilleur ami et sourit. Le gros Tom avait été projeté d'un bout à l'autre de la chambre par un troll, mais il se tenait encore debout. Du moins, jusqu'à ce qu'il trébuche sur le corps de Grimbowl et qu'il rejoigne ce dernier sur le sol.

— D'accord, quelqu'un va-t-il me dire ce qui se passe ici ? s'enquit Barnaby. Il se trouvait debout, adossé au mur le plus près, observant l'ensemble de la chambre dans un état proche de la panique. À qui passez-vous votre temps à parler ? Qu'est-ce que c'est que toutes ces conneries au sujet des trolls ?

— Tu n'as pas le droit de demander quoi que ce soit, indiqua Max dangereusement.

— Hé, ma maison a été cambriolée ! rappela Barnaby. Et mes gardes du corps viennent de se transformer en traîtres. Je pense que je mérite un peu d'indulgence.

— Au moins, dites-moi quelque chose, plaida Lori de son lit. Je crois que j'en ai vécu assez pour aujourd'hui.

— Plus tard, promit Mlle Sloam. En tout premier lieu, il nous faut un docteur ici pour examiner les garçons, et nous avons besoin du service de sécurité pour…

— Non, dit Boots. Il sauta du lit de Lori, tirant celle-ci avec lui et l'immobilisant dans une prise de tête effectuée d'un seul mouvement continu. Bruno surgit et agrippa Vincent, lui faisant une prise similaire.

— Nous allons leur briser le cou, menaça Bruno. Personne ne bouge ou n'essaie de nous arrêter.

Bruno recula vers la porte, trébucha sur le gros Tom et tomba à la renverse. Vincent s'envola de ses bras et entra en collision avec Max, puis gémit tandis que sa poitrine le rongeait de douleur. Bruno trébucha vers l'arrière et tomba dans le coin de la chambre — le même coin où Rennik le démon se trouvait étendu.

Il y eut un craquement sonore, humide. Malgré son meilleur jugement, Vincent regarda et distingua un trou énorme dans la poitrine du garde du corps. Dans ce trou, ayant l'air très satisfait, apparaissait Rennik.

— Ben dites donc, j'avais vraiment besoin de ça, indiqua-t-il. Ses ailes étaient encore flétries et son teint semblait toujours malade, mais Rennik avait l'air beaucoup plus fort qu'une minute plus tôt.

Boots demeura bouche bée, puis il pivota et se mit à courir. Il se rendit au couloir, suite à quoi plusieurs minuscules bâtons s'enfoncèrent dans son corps.

— N'aie pas peur! rassura Grimbowl, sautant vers l'arrière. La cavalerie est ici.

Boots laissa tomber Lori et s'effondra de nouveau dans la chambre, chutant au sol. Lori s'enfuit le long du couloir aussi rapidement qu'elle le put, hurlant pour alerter la sécurité.

— Quoi encore? se lamenta Barnaby, paraissant sur le point de pleurer.

Une douzaine d'elfes arrivèrent par l'embrasure de la porte, transportant tous des arcs minuscules. Megon et Optar les conduisaient, grimpant sur le troll inconscient avec une expression suffisante de victoire.

— Je pensais que tu t'étais évanoui, dit Vincent à Grimbowl.

— Non! Ce n'était qu'une autre projection astrale, expliqua Grimbowl. J'ai convoqué la tribu tout entière. Et ils ont apporté des friandises.

Les friandises se sont avérées une potion de guérison magique. Optar l'administra à tous ceux qui en avaient besoin, y compris les deux lutins. Vincent ne pouvait pas croire à la rapidité avec laquelle cela agissait; en quelques secondes, sa poitrine était forte à nouveau, les côtes et tout le reste.

Bruno et Boots furent les seuls qui n'en reçurent pas, car il était trop tard pour eux. Et, bien sûr, Rennik.

— Un tout petit peu, implora Rennik avant de fourrer la jambe gauche de Bruno dans sa gueule. S'il vous plaît, ajouta-t-il, la bouche pleine.

— Tu dois plaisanter, prononça Max. Tu es une créature de l'enfer et tu seras détruit.

— Oui, mais comment les détruisons-nous ? s'informa Megon tandis qu'il considérait le démon. Comment avez-vous accompli cela ?

— C'est le jeune qui l'a compris, dévoila Grimbowl avec une fierté sincère alors qu'il désignait Vincent. Dis-leur ce que tu as fait, le jeune.

Vincent ouvrit la bouche pour répondre, puis il s'arrêta.

— Non, refusa-t-il.

— Non ? s'étonna Grimbowl.

— Non ?!? répéta Megon.

— Je ne vous fais pas confiance, révéla Vincent. Vous, les elfes, m'avez fait mal, et vous m'avez poussé à faire du mal à mon ami, le gros Tom. Puis, vous avez mis un obyon dans son nez et vous l'avez envoyé au-devant d'un danger terrible.

— Oh, snif, snif, se moqua Megon. Si tu essaies de faire appel à mon cœur, ne te donne pas cette peine. Mon inquiétude concerne uniquement mes elfes et je vais faire tout le nécessaire pour les amener prudemment au site du portail.

— Alors, écoute, annonça Vincent. Je sais où se trouve le site du portail.

— Quoi ? tonna Megon, et un halètement collectif émergea des autres elfes. Grimbowl, est-ce la vérité ?

— Tu ferais mieux de le croire, confirma Grimbowl.

— Raconte-nous, mon garçon ! enjoignit Megon en se retournant vers Vincent. Immédiatement.

— Non, refusa Vincent. Je ne vous dirai rien à moins que vous n'enleviez l'obyon du nez du gros Tom. Immédiatement.

— Nous n'en ferons rien! répliqua Megon. Qui es-tu pour oser nous faire des revendications? Vous êtes chanceux que nous n'insérions pas d'obyons à chacun d'entre vous. En fait, je pense que je vais le faire... Il s'arrêta subitement, réalisant qu'il y avait une épée appuyée contre sa gorge.

— Oh non, tu ne le feras pas, rétorqua Grimbowl.

Les autres elfes réagirent avec indignation, mais aucun plus que Megon.

— Dans toute notre histoire, récapitula le chef des elfes, aucun elfe n'a jamais levé les armes contre un autre.

— Les temps changent, fit remarquer Grimbowl. Ce gamin a pris des risques pour nous. Quand je l'ai rencontré pour la première fois, j'ai cru qu'il était seulement un autre abruti.

— Hé! réagit Vincent.

— Mais il en a fait plus que nous tous en avons fait en mille ans, poursuivit Grimbowl. Si nous nous échappons de ce monde, ce sera grâce à lui. Alors, cesse de faire l'idiot, montre-lui un peu de respect et fais ce qu'il dit.

Il y eut un moment de tension, presque silencieux. Le seul bruit provenait du coin, où Rennik mangeait encore le troll.

— Ce que tu dis, concéda enfin Megon, est vrai. Il mérite réellement notre respect. Optar, retire l'obyon.

Grimbowl sourit et baissa son épée. Optar se renfrogna, nettement mécontent, mais il prononça bel et bien les mots magiques nécessaires pour désactiver la formule magique de l'obyon. Le gros Tom éternua à quelques reprises, puis un perce-oreille s'enfuit de son nez.

— Vous avez utilisé un perce-oreille? interrogea Vincent. C'est encore pire. Pouah!

— Nous avons fait notre part, Vincent, indiqua Megon. Maintenant, c'est à ton tour. Dis-nous où se trouve le site du portail.

— Il est situé au siège social de la société Alphega, dissimulé par l'édifice, révéla Vincent. Quand j'ai fait ma projection astrale, j'ai vu tous ces champs magnétiques bizarres qui entouraient l'endroit.

— Des cellules magiques, probablement, estima Optar.

— L'endroit est également patrouillé par des démons, leur précisa Vincent.

— Alors, tu dois nous expliquer comment détruire les démons, exigea Megon.

— J'ai employé cela sur lui, répondit Vincent, tenant la laque dans une main et montrant Rennik de l'autre. Cela l'a rendu vachement malade.

— Un pulvérisateur en aérosol…, constata Optar. Bien sûr! Des polluants fabriqués par les humains.

— Mais nous avons besoin de quelque chose de plus fort, fit remarquer Megon. Quelque chose qui va les tuer.

— Que diriez-vous d'une bombe insecticide? suggéra le gros Tom. Nous en avons plusieurs boîtes chez moi.

— Bien sûr! dit Vincent. Gros Tom, c'est super.

— Eh bien, allons-y! fit Grimbowl. Nous pourrons tester l'insecticide sur le glouton, ici présent.

Rennik, de la bouche duquel dépassait l'un des bras de Bruno, s'immobilisa et regarda ses ennemis rassemblés. Il aspira le bras comme un spaghetti, sourit faiblement et courut vers la fenêtre.

Il ne se rendit toutefois pas loin, Max l'attrapant et le soulevant par les ailes.

— Passe devant, Thomas, ordonna-t-il.

Ils sortirent en file de la chambre, le gros Tom les dirigeant. Il avait l'air plus heureux que toutes les fois où Vincent l'avait vu; toute cette attention positive lui faisait du bien.

— Hé, gros Tom? prononça Vincent en le rattrapant. Écoute, au sujet de ce qui est arrivé à l'école… tu sais, quand j'ai…

— Ça va, Vincent, dit le gros Tom. Tu avais une chose dans le nez.

— Je suis encore désolé, s'excusa Vincent.

— Je sais, fit le gros Tom, puis il se mit à sourire. C'est pour cette raison que je t'ai laissé gagner.

— Quoi ? s'offusqua Vincent. Ce n'est pas vrai. Je te bottais littéralement le derrière.

— Parce que je t'ai laissé faire, précisa le gros Tom. J'aurais pu te battre à plates coutures n'importe quand. Mais je ne l'ai pas fait, parce que je suis tellement un bon ami.

Vincent rit et mit un bras autour de l'épaule de son ami.

— Je pense que je suis plutôt chanceux, reconnut-il.

— C'est sacrément vrai, confirma le gros Tom.

Chanteuse et sa mère suivaient derrière eux. Mlle Sloam semblait très heureuse, sans doute contente que sa fille soit vivante et bien portante. Chanteuse, d'autre part, avait l'air positivement misérable.

Vincent croyait qu'il savait peut-être pourquoi, mais avant qu'il n'ait pu lui demander quoi que ce soit, l'édifice fut violemment ébranlé.

— Oh non, se lamenta Clara. C'est commencé.

— Qu'est-ce qui est commencé ? questionna Max.

— La fin ! répondit Grimbowl.

Et ensuite, le tremblement de terre frappa de plein fouet.

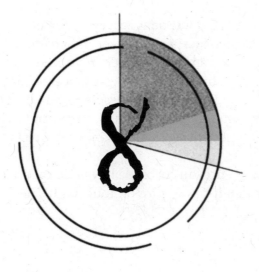

D'un bout à l'autre de la planète, de l'Antarctique à l'Arkansas, d'Oslo à Ottawa, de l'Australie à l'Alabama, de Tolède à Tokyo, du Canada à la Grenade, de Moscou au Mozambique, tout le monde le ressentit. Ce n'était pas seulement le *Big One*. C'était le « BIG ONE ». Chaque masse de terre affligée d'une faille géologique devint un abîme béant. Partout où on retrouvait une faille qui n'était pas si importante, le paysage se voyait simplement réduit à un tas de décombres.

Il n'y avait de doute dans l'esprit de personne. Ça y était. La fin était arrivée. La panique se répandit partout. Le pillage, les émeutes et le vandalisme se déroulèrent de façon effrénée. Les nations déchirées par la guerre lancèrent des attaques furtives. Les défaitistes époussetèrent leurs panneaux d'hommes-sandwichs sur lesquels était écrit : « La fin est proche » et sortirent en courant dans ce qui restait de leurs rues.

De la violence, du chaos, de l'hystérie collective.

Et ce n'était pas le pire de tout. La fin ne faisait que commencer.

• • •

L'hôpital était une épave bombardée. Vincent et les autres se trouvaient étendus sous les décombres, et Nod, Clara et Mlle Sloam étaient les seuls à empêcher le reste de l'édifice de les écraser tous.

— Pourquoi, demanda Vincent en repoussant un tas de décombres, n'as-tu pas dit qu'il y aurait un tremblement de terre ?

— Je l'ai fait, répliqua Nod en poursuivant ses efforts. Dès l'instant où nous nous sommes rencontrés pour la première fois, tu te souviens ? Il portait encore la poche de tablier ; si Vincent n'avait pas dirigé son attention vers lui, son fardeau de débris aurait semblé n'être retenu par rien.

— J'aurais pu utiliser un pense-bête, lui dit Vincent.

Quand l'édifice s'effondra, ils tombèrent à travers le sol qui s'écroulait pendant que le plafond et les planchers du dessus les poursuivaient. Ils avaient subi plusieurs blessures au moment de l'atterrissage : Vincent s'était cassé les deux jambes, Max s'était empalé sur une tige d'appui en acier et

Barnaby souffrait d'une fracture du crâne. Seuls le gros Tom et Chanteuse avaient évité le pire ; les elfes s'étaient mis au travail immédiatement, distribuant leur potion de guérison.

Malheureusement, la potion ne fut pas prodiguée à temps pour plusieurs elfes, y compris Megon. Des débris en chute libre les avaient écrasés et seules les actions rapides de mademoiselle Sloam et des deux lutins avaient empêché des morts supplémentaires.

— Quelles sont ces choses ? questionna Barnaby, enfin capable de discerner les lutins et les elfes.

— Nos amis, indiqua Vincent. Sauf lui, ajouta-t-il alors que Rennik sortait des décombres à côté de lui. Une poutrelle d'acier et au moins deux tonnes de ciment étaient tombés sur le démon maladif, mais il pouvait toujours mâcher bruyamment.

— Ce ne sera plus long, maintenant ! annonça Rennik. D'abord le tremblement de terre, puis les intempéries, et ensuite…

— Il y a des intempéries qui s'en viennent ? interrogea le gros Tom.

— Les priorités, vous autres ! cria Clara à travers ses dents serrées. Elle planait au-dessus de Max avec un gros morceau de l'édifice qui faisait pression sur elle, et elle descendait lentement. Nod portait une charge similaire au-dessus des elfes qui restaient, mais sa force diminuait également. Mlle Sloam, qui transportait les plus grandes charges, paraissait ne pas pouvoir continuer un instant de plus.

Vincent regarda autour de lui. Il y avait des tas de débris partout, bloquant toute voie d'évasion. Ils étaient pris au piège. Et dès que la force de leurs amis s'épuiserait, ils seraient morts.

— Nous sommes morts ! s'exclama Barnaby. Nous sommes tous morts ! Il n'y a aucune sortie, nous allons mourir…

— La ferme, l'interrompit Vincent, puis il le frappa. Barnaby fut tellement surpris qu'il s'assit en dévisageant Vincent durant presque cinq secondes avant de chuter par en arrière sur Grimbowl et Optar.

Vincent se permit un moment de répit. Cela faisait du bien.

— Regarde où tu frappes les gens! reprocha Grimbowl, émergeant de sous la brute ahurie. Vincent l'observa tandis qu'il rampait pour sortir, et à ce moment-là, il eut une idée.

Vincent examina le trou que Rennik avait mangé pour avancer. Puis, il regarda Rennik.

— Tu peux nous faire sortir d'ici, indiqua-t-il au démon. Tu peux nous faire un chemin en dévorant ces débris.

— Hé, ouais, je pourrais, confirma Rennik. Mais pourquoi le ferais-je? Tu as essayé de me tuer, tu t'en souviens?

— Tu as tenté de bouffer mon ami, lui rappela Vincent. En outre, ne veux-tu pas nous manger plus tard?

— Eh bien…

— Ce sera difficile d'y parvenir si nous reposons sous une tonne de débris, fit remarquer Vincent. Si tu nous libères, tu auras une chance de nous dévorer quand l'époque se terminera.

— C'est vrai, admit Rennik. Mais je ne peux pas vous pourchasser avec ces ailes. Et ton poison m'a rendu trop faible pour bouger. Je ne pourrais pas vous sauver même si je le voulais.

« À moins, ajouta-t-il, que vous ne me donniez un peu de cette potion de guérison. »

— Quoi? réagit Vincent.

— Ça ne risque pas de se produire, prévint Grimbowl.

— Jamais! s'exclama Optar.

— Alors, je pense que nous sommes tous coincés ici, constata Rennik.

— Optar, expliqua Vincent, nous allons mourir. Il peut nous sauver. Accorde-lui ce qu'il veut.

Optar regarda Vincent, puis Grimbowl. Ils se firent mutuellement un signe de tête affirmatif, puis Optar retira une flasque de sa ceinture.

— Donne-lui cela, indiqua Optar en tendant à Vincent le minuscule récipient.

Vincent remit la potion à Rennik, qui s'en empara et en versa le contenu dans sa gueule.

— Ahhh, voilà la substance en question, apprécia-t-il tandis qu'il se rétablissait devant eux. Ses ailes devinrent fortes et puissantes, et sa peau redevint rouge. Je suis de retour!

— À présent, fais-nous sortir d'ici, lui dit Max.

— Oublie ça, refusa Rennik, sautant en l'air. Maintenant que vous m'avez guéri, je vais tous vous manger, en commençant par elle! rugit-il en désignant Mlle Sloam.

— Non! s'objecta Chanteuse, bondissant pour protéger sa mère.

— Non! s'écria Vincent, réalisant qu'il avait été dupé.

— Oui! gueula Rennik en se précipitant vers sa cible.

— Démon, arrête! tonna Optar.

Rennik l'ignora et il était presque rendu sur le bras gauche de Mlle Sloam, lorsqu'il hurla et s'effondra sur le sol.

— Tu ne nous attaqueras pas, ordonna Optar. Et tu vas nettoyer ces débris. Immédiatement!

Rennik hurla de nouveau, agrippant son corps. Puis, il se leva et obéit à l'elfe.

— Un obyon? demanda Vincent à l'elfe sage.

— Je l'ai bien eu, se réjouit Grimbowl.

— Tu ne croyais tout de même pas que j'allais guérir ce chien, indiqua Optar, sans lui passer une laisse au préalable?

Il fallut deux minutes à Rennik pour nettoyer tous les décombres, y compris les détritus amassés au-dessus de Nod, Clara et Mlle Sloam. Libérés de leurs charges, le troll et les deux lutins s'écroulèrent d'épuisement. Pendant que Chanteuse aidait sa mère qui gisait au sol, Vincent recueillit

Clara et Nod. Trouver celui-ci ne fut pas chose facile : Vincent dut tapoter les alentours avec sa main avant de repérer le lutin presque invisible.

Rennik toussa et cracha, chassant le béton de sa gueule. La saveur n'était manifestement pas à son goût.

— Nous sommes libres ! se réjouit le gros Tom en esquissant un large sourire. Puis, il regarda autour de lui et son sourire s'évanouit.

— Ouf, prononça Vincent.

— Triumvirat, soyez miséricordieux, ajouta Max.

La ville était dévastée. Les édifices étaient en ruine sous des nuages de poussière, les voitures et les camions étaient couchés, brisés et tordus, et les rues se voyaient fissurées et ouvertes au-delà de tout espoir de réparation. Des feux faisaient rage, les bouches d'incendie brisées giclaient et les alarmes des voitures hurlaient. Il s'agissait d'un cauchemar devenu réalité et la mort constituait tout ce qu'il donnait en retour.

— Le texte a dit que des temps comme ceux-ci viendraient, indiqua Max.

— Je sais, reconnut Vincent. Quelque chose à propos des pleurs et des grincements de dents, n'est-ce pas ?

En fait, plus de la moitié du texte du Triumvirat concernait la fin des temps. C'était le sujet de sermon le plus populaire, le meilleur outil pour recruter de nouveaux membres et le seul thème à être traité dans les nombreux livres et vidéos produits par les médias du Triumvirat.

Vincent se rappelait bien avoir été forcé d'assister à une séance d'exclusion, une pièce de mauvaise qualité et excessivement mélodramatique au sujet de personnes qui n'étaient pas acceptées au paradis par le Triumvirat durant les derniers jours. Ces pauvres âmes affrontaient la famine et les guerres pendant que l'Antitriumvirat malveillant s'emparait du monde. Ces non-membres du Triumvirat devaient lutter pour leur simple survie, tandis que Vincent avait dû se battre pour demeurer éveillé.

Maintenant, il doutait avoir une chance de pouvoir dormir à nouveau. L'exclusion, ainsi que ses nombreux imitateurs de faible qualité, ne l'avaient pas préparé pour cela.

— Nous aurions dû manquer cela, prononça Grimbowl. Nous tous, chacun d'entre nous, nous aurions dû l'avoir évité.

— Tout cela à cause d'un homme méchant, surenchérit Max. Et de ceux qui le servent.

— Ouais, c'est vachement dégueulasse, admit Rennik. À présent, si vous voulez bien m'excuser…

— Démon, amène le troll, ordonna Optar. Tu vas nous accompagner à la maison du gros Tom, où tu nous raconteras tout.

— Oh non, grommela le démon alors qu'il saisissait Mlle Sloam et la soulevait en l'air. Ce jour peut-il devenir encore pire?

— Tu parles qu'il peut le devenir, confirma Grimbowl. Quand tu nous auras dévoilé tout ce que tu sais, tu vas être notre cobaye.

— Que dis-tu? demanda Chanteuse.

— Il va nous aider à savoir, annonça Grimbowl, si l'insecticide du gros Tom peut tuer les démons.

La résidence du gros Tom se révélait étonnamment intacte.
Elle était endommagée, bien sûr, et l'intérieur représentait
un désordre de vaisselle fracassée et de meubles renversés.
La maison elle-même, cependant, était demeurée debout,
comme la plupart des maisons dans le quartier du gros Tom.

Étant si petite et si délabrée, de toute façon, il ne restait pas grand-chose à faire au tremblement de terre.

Ses parents ne se trouvaient pas à la maison. Chacun d'eux possédait deux emplois et ils travaillaient à l'un ou l'autre lorsque le tremblement de terre avait frappé. Avec les lignes de téléphone coupées, il devenait impossible de savoir s'ils avaient survécu. La même chose était vraie, réalisa Vincent, pour ses propres parents. Même Barnaby avait l'air d'être sur le point de pleurer la mort possible de son père.

Ils s'établirent dans le sous-sol du gros Tom. Grimbowl montait la garde sur Rennik, qui avait reçu l'ordre de ne pas bouger dès qu'ils étaient arrivés. Optar se trouvait devant le démon et lui posait des questions au sujet de la société Alphega. Rennik répondait aux interrogations, mais son attention était concentrée sur le coin de la pièce où plusieurs boîtes se voyaient entassées. Quelques boîtes étaient tombées et s'étaient ouvertes, et des bombes insecticides se trouvaient éparpillées sur le plancher. Rennik les regardait avec une terreur manifeste ; chaque flacon semblait être intact et utilisable.

La mère de Chanteuse s'occupa des lutins, les déposant sur un petit matelas malpropre qui s'avéra être le lit de Tom. Vincent, le gros Tom et Barnaby s'assirent à l'autre extrémité du matelas, observant l'interrogatoire. Rennik parla beaucoup, avec un charabia étrange qui n'avait pas de sens pour les garçons, mais qui paraissait parfaitement clair pour les elfes.

Vincent jeta un coup d'œil autour de lui et remarqua que Chanteuse et Max n'étaient pas en bas avec le reste du groupe. Il entendit un bruit en provenance de l'étage principal et c'est pourquoi il y monta pour enquêter.

Parvenu à mi-chemin, il découvrit Max assis dans l'escalier, en train de lire un livre. Vincent cligna des yeux, étonné ; il s'agissait exactement du même livre pour lequel Max avait déjà grondé Vincent et le gros Tom parce qu'ils le lisaient.

C'était *Le livre des créatures de Prisons et Esprits frappeurs*, un ouvrage d'information qui accompagnait le jeu de rôle *Prisons et Esprits frappeurs*.

Vincent et le gros Tom n'y avaient jamais véritablement joué — le Triumvirat l'interdisait, et de plus, le gros Tom n'avait pas les moyens d'acheter tous les équipements supplémentaires. Le gros Tom avait acquis le livre parce que c'était le cadeau d'anniversaire d'un cousin qui avait délaissé le jeu et voulait se débarrasser de ses livres. Le gros Tom avait un jour apporté le livre pour le montrer à Vincent et quand Max les avait vus le lire, il avait fait tout un raffut.

— Faites attention à la doctrine des démons, avait cité Max, de peur qu'ils ne détournent votre âme.

Et à présent, il lisait le livre. Il remplissait son esprit d'images maléfiques, comme il les appelait. Vincent aurait pu le lui faire remarquer, mais le regard de son frère l'en dissuada.

— Qu'est-ce qui ne va pas, Max ? demanda-t-il plutôt, s'assoyant près de lui.

— Oh, bonjour, Vincent, dit Max. J'essayais seulement… de comprendre.

— Comprendre quoi ? s'informa Vincent, mais il se doutait qu'il connaissait déjà la réponse. La vision du monde de Max avait été grandement réduite en miettes durant le dernier jour et demi, après tout.

— Ces créatures, indiqua Max. Ce livre parle des lutins, des trolls et des elfes. Regarde ici. Il tapota l'image d'une créature dotée du corps d'un cheval, mais dont la partie supérieure et la tête correspondaient à celles d'un homme. C'est un centaure.

— Nod et Clara m'ont parlé des centaures, révéla Vincent en examinant l'image. Alors, c'est à ça qu'ils ressemblent.

« On dit ici que ce sont des créatures très intelligentes et spirituelles, continua Max, mais qu'elles sont également têtues, arrogantes et routinières. Je suis comme ce centaure, n'est-ce pas ? »

Vincent ouvrit la bouche pour parler, puis il choisit de ne rien dire, une fois de plus.

— J'étais arrogant, reprit Max. Je croyais tout savoir. Ce qui était bien, ce qui était mal, dit-il en donnant une petite tape au livre et en souriant légèrement, reconnaissant leur dispute passée. Récemment, toutefois, le Triumvirat m'a ouvert les yeux. Et il l'a fait à travers toi, Vincent.

— Moi ? s'étonna Vincent.

— C'est toi qui m'as entraîné dans cette histoire, lui rappela Max. Grâce à toi, j'ai appris qu'il y a bien plus de choses dans la vie que je ne le pensais. Les créatures que j'estimais maléfiques, les personnes comme ton amie Chanteuse. Elle est une sorcière, mais c'est une si bonne âme. Je veux seulement… Il brandit le livre tandis qu'il cherchait ses mots. Je veux seulement comprendre ce nouveau monde.

— Il n'est pas si nouveau, fit remarquer Vincent. D'accord, le monde est sur le point de se terminer, c'est nouveau. Sauf que ça ne l'est pas réellement, puisque cela s'est déjà produit à plusieurs époques dans le passé… Le fait est que des créatures comme Nod et Grimbowl ont été ici durant une longue période de temps. Et si le Triumvirat est vraiment tout-puissant…

— Bien sûr qu'il l'est ! interrompit sèchement Max.

— Dans ce cas, ils connaissent les lutins, les elfes et les centaures, eux aussi, termina Vincent. Alors, est-ce que tout va bien ?

Max dévisagea son frère pendant un long moment, puis il secoua la tête.

— Je n'aurais jamais pensé que je dirais cela, avoua-t-il, mais tu es très sage, petit frère.

Vincent rougit, puis il sentit une larme lui monter à l'œil gauche. C'était la chose la plus gentille que son frère lui ait jamais dite.

— Continue de lire, conseilla Vincent. Je vais aller vérifier ce que fait Chanteuse.

• • •

Chanteuse préparait du thé. Elle s'était frayé un chemin à travers un plancher si sale qu'on pouvait à peine remarquer la vaisselle cassée et la coutellerie renversée. Elle avait mit la bouilloire dans l'évier et essayait de faire couler l'eau des robinets lorsque Vincent la trouva. Une boîte du thé le moins cher possible se trouvait sur le comptoir de la cuisine. Il avait une forte teneur en caféine et peu de goût, et c'était le genre de thé que Chanteuse n'aurait jamais bu même si c'était la fin du monde. Ce qui, bien sûr, était le cas.

— Qu'est-ce qui ne va pas ? s'enquit Vincent. Il s'était attendu à ce qu'elle se rapproche de sa mère. Ce n'était pas tous les jours que vous appreniez que votre maman était un troll, après tout.

— Il ne semble pas y avoir d'eau, révéla Chanteuse, fermant les robinets. Ils ont peut-être de l'eau embouteillée dans le réfrigérateur.

— C'est peu probable, estima Vincent. Pas quand l'eau du robinet est gratuite. La famille du gros Tom n'a jamais eu d'argent pour ce genre de chose. Ils mangent même leurs céréales avec de l'eau du robinet.

— Ils paraissent avoir suffisamment d'argent pour l'insecticide, constata-t-elle d'une voix dure.

Vincent pensait comprendre ce qui la troublait. Lorsqu'il avait éternué son obyon, elle avait libéré la coccinelle. Chanteuse adorait le monde naturel et croyait que le fait de tuer des insectes était mal.

— Ils détestent vraiment les cafards, reconnut Vincent en observant l'une des bestioles qui courait sur le sol. Mais nous ne l'utiliserons pas contre les insectes. Nous allons…

— Vous allez tuer cette créature sans défense qui se trouve en bas, déplora Chanteuse, lui tournant toujours le dos.

— Tu veux dire Rennik? demanda Vincent. Mais il est un démon. Il est mauvais. Ils le sont tous.

— Ce sont des créatures vivantes, Vincent! indiqua Chanteuse en se tournant pour lui faire face. Ses yeux flambaient avec une telle fureur que Vincent fit un pas vers l'arrière involontairement. Mauvaises ou pas, elles font partie de notre monde naturel. Elles remplissent une fonction et bien que celle-ci puisse être horrible, nous n'avons pas le droit de les tuer.

Vincent eut un serrement de gorge, mais il se redressa et se tint la tête haute. Il avait appris à se tenir droit devant ses nombreux ennemis au fil des ans, mais agir de la sorte devant une amie se révélait beaucoup plus difficile. La voir dans cet état s'avérait bouleversant, mais ça ne changeait rien à la réalité. Ou à ce qui devait être fait.

— Chanteuse, débuta Vincent, la fonction de ces créatures-vivantes-qui-font-partie-du-monde-naturel consiste à exterminer toute vie telle que nous la connaissons. Naturelles ou pas, elles représentent de mauvaises nouvelles. Et au cas où tu ne l'aurais pas réalisé, nous faisons partie du monde naturel, nous aussi. Nous méritons de survivre tout autant qu'elles.

— Le méritons-nous? demanda Chanteuse. Les humains ont pollué et endommagé cette planète durant des siècles, Vincent. Nous avons détruit la forêt tropicale et notre couche d'ozone, nous avons mené des espèces entières à leur extinction, nous avons pris chaque cadeau que notre mère la Terre nous a donné et nous l'avons gâché, puis nous le lui avons renvoyé en pleine figure. Peut-être... — elle se détourna, marquant un temps — peut-être que nous ne méritons pas de survivre.

Vincent réfléchit à cela pendant un moment.

— Oui, nous le méritons, Chanteuse, affirma-t-il. Nous avons autant le droit de survivre que tout autre animal. Oui, nous polluons. Oui, nous nous battons. Mais nous avons accompli tant de choses. Nous avons voyagé au sein du système solaire, nous avons développé une technologie sensationnelle...

— Et qu'est-ce que tout cela nous a rapporté ? interrogea Chanteuse. Ne t'ai-je rien appris, Vincent ? Les êtres humains ont abandonné leurs racines naturelles, oublié comment communier avec la nature...

— Parce que c'est la façon dont nous sommes faits, expliqua Barnaby tandis qu'il émergeait de la cage d'escalier, faisant sursauter Vincent et Chanteuse. Bon sang, espèce d'écolo et amante de notre mère la Terre, tu me rends malade. Ça s'appelle le progrès, la fille. La survie des plus forts.

— Personne ne t'a demandé ton avis, abruti, lança Vincent.

— Eh bien, je vais vous le donner quand même, annonça Barnaby, passant devant lui en le bousculant pour faire face à Chanteuse. Nous, les humains, avons un objectif et un seul : survivre. De mauvaises choses doivent parfois être faites pour s'assurer que nous survivions, comme couper des arbres pour le bois ou détruire des gens avant qu'ils ne nous détruisent. Et ne me sers pas cette foutaise à propos de l'oubli de nos racines naturelles. Nous n'en avons aucune. Nous avons évolué parce que nous étions l'espèce la plus forte.

— Pauvre enfant, se désola Chanteuse. N'as-tu donc pas de compassion pour quoi que ce soit ?

— Non, répondit Barnaby. On ne peut pas dépenser la compassion. Je veux être le numéro un. Et c'est pourquoi je vais survivre pendant que tu te feras dévorer par les démons que tu essaies de sauver.

Chanteuse ouvrit la bouche pour parler, puis elle la referma. Que pouvait-elle dire ?

— Au moins, elle se sent concernée, la défendit Vincent. Ce qui est bien plus que ce que je peux dire pour toi.

— C'est mon but, espèce de raté, rétorqua Barnaby. Je m'en fiche, et si tu veux quitter ce monde avant que d'autres démons n'arrivent, tu ferais mieux d'abandonner la sorcière et de songer à sauver ta propre peau.

Barnaby pivota et retourna en bas, marchant sur un cafard alors qu'il descendait les marches de l'escalier. Vincent résista à l'envie de lui asséner un violent coup de poing, puis il se redemanda pourquoi il avait laissé Barnaby les suivre. Il lui avait tout simplement paru mal de l'abandonner après qu'ils eurent fui l'hôpital en ruine. Ils avaient tous une meilleure chance de survivre s'ils demeuraient ensemble, Vincent le savait, et c'est pourquoi Barnaby mourrait probablement s'il devait voler de ses propres ailes. Il avait perdu ses gardes du corps et peut-être son père, de sorte que permettre à Barnaby de rester au sein du groupe constituait le choix moral à faire. Si seulement l'idiot pouvait au moins faire semblant de se montrer reconnaissant pour cela.

Et bien que Barnaby fût un idiot, Vincent ne put ignorer ce qu'il avait dit.

— Il a marqué un point, indiqua-t-il à Chanteuse. Nous devons faire attention à nous-mêmes. Je veux survivre à tout cela et je suis sûr que tu le veux, toi aussi.

— Pas si cela signifie qu'il faut faire du mal à d'autres créatures, répliqua-t-elle. C'est mal, Vincent. Et je ne veux pas prendre part à cela.

Chanteuse retourna à son thé. Vincent observa son dos un moment de plus sans pouvoir intervenir, puis il pivota et redescendit les escaliers.

— Ah, prononça Barnaby. Est-ce que toi et la cinglée de la nature vous êtes séparés ?

— La ferme, menaça Vincent, lui décochant un regard mauvais.

— Ou bien quoi ? le défia Barnaby, le gratifiant d'un petit sourire de voyou breveté.

— Ou bien nous allons te donner un coup de pied au derrière, promit le gros Tom, s'approchant de Vincent.

— Nan, il n'en vaut pas la peine, dit Vincent. Par ailleurs, je l'ai déjà frappé une fois aujourd'hui, tu te souviens ? Cela n'a pas du tout amélioré son cas.

— Voyons, Vincent, plaida le gros Tom. Nous lui devons un coup de poing dans la tronche.

— Ça ne résoudra rien, expliqua Vincent.

— On se sentira mieux, fit valoir le gros Tom.

Vincent réfléchit à cela durant quelques instants.

— Bien vu, reconnut-il. On y va ?

— Hé, attendez une seconde…, paniqua Barnaby, son petit sourire satisfait disparaissant tandis que Vincent et le gros Tom l'attaquaient avec les deux poings.

— Calmez-vous tous les deux, intervint Clara en regardant par-dessus son épaule.

— Essayez de lui casser la figure sans faire de bruit, ajouta Nod.

Barnaby tenta de se défendre, mais sans ses gardes du corps, il n'avait pas du tout de force. Il couvrit sa tête de ses bras et pleurnicha, souhaitant probablement que cela finisse bientôt.

— Arrêtez cela, ordonna Mlle Sloam, saisissant les deux garçons par l'arrière de leur chandail et les soulevant en l'air. Nous avons suffisamment de problèmes sans que vous vous battiez, les garçons. Si vous y tenez, faites-le à l'extérieur.

Le vent choisit ce moment précis pour hurler de façon menaçante. Une explosion de tonnerre survint un instant plus tard et la maison fut secouée.

— Non, nous avons terminé, indiqua le gros Tom, puis Mlle Sloam les relâcha.

Le vent hurla de nouveau, suite à quoi la pluie débuta. Ses gouttes martelaient la maison comme des balles de mitrailleuse, mais le son produit n'était pas assez fort pour couvrir le grondement assourdissant du tonnerre.

— Oh, oh, s'inquiéta Clara. Le mauvais temps a commencé.

— Quel était ton premier indice ? demanda Grimbowl.

« Ça y est », pensa Vincent. Dorénavant, il y aura une longue série de précipitations folles jusqu'à la ligne d'arrivée. Il pouvait uniquement espérer et prier pour que la ligne d'arrivée soit toujours là quand ils y parviendraient.

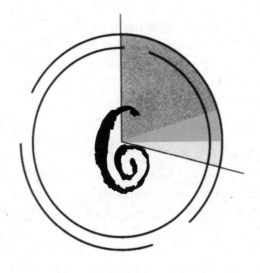

L'électricité manquait et revenait tandis que les éclairs frappaient de plus en plus proche. Le groupe, à l'exception de Chanteuse, se réfugia peureusement dans le sous-sol de la maison du gros Tom, planifiant leur prochain mouvement.

— Le temps passe, rappela Optar. Si nous devons effectuer une tentative pour franchir le portail, nous devons y aller maintenant, avant que le temps ne devienne encore plus mauvais.

— Et il va le devenir, prédit Nod en se redressant sur le matelas. Une fois que les tornades auront commencé…

— Nous pigeons l'idée, interrompit Vincent.

— Le démon m'a révélé ce que nous devons faire, révéla Optar. Il semble que l'édifice d'Alphega est entouré de plusieurs cellules magiques.

— Qu'est-ce qu'elles font? demanda Vincent, se souvenant du champ magnétique qu'il avait vu lorsqu'il avait visité l'édifice sous forme d'esprit.

— Elles bloquent la vocation des portails, expliqua Optar. C'est la raison pour laquelle personne n'est au courant de leur existence. Apparemment, la société Alphega a construit des immeubles autour de tous les sites du portail sur la planète, et chacun se voit bloqué par des cellules semblables.

«Mais voici l'affaire, continua Optar. Toutes les cellules sont reliées ensemble. Si nous pouvions les affecter ici, elles seraient alors hors d'usage à travers le monde.»

— Wow, réalisa Vincent. Si nous réussissions cela, nous pourrions vraiment sauver beaucoup de personnes.

— Chic, marmonna Barnaby.

— Tu en veux encore? questionna le gros Tom, levant les poings.

Barnaby demeura silencieux.

— Comment pouvons-nous affecter les cellules? s'enquit Vincent.

— Nous l'expliquerons en chemin, indiqua Optar, ouvrant une boîte remplie de pulvérisateurs. Prenez tous autant de ces récipients que vous le pouvez et allons-y.

— Pas si vite, intervint Grimbowl. Nous avons encore besoin de voir si le pulvérisateur fonctionne véritablement. Et cela veut dire toi, fit-il en se tournant vers Rennik.

— Aïe, s'inquiéta le démon.

Vincent soupira. Il avait espéré qu'ils pourraient tout simplement s'en aller et oublier de tester l'insecticide sur Rennik. Sans aucun doute, le démon était méchant. Toutefois, Chanteuse avait raison — il était une créature vivante. Vincent ne pensait pas qu'il pouvait tout bonnement le tuer de sang-froid.

— Pourquoi ne le fais-tu pas, Vincent, suggéra Grimbowl, bondissant sur une boîte et lui jetant un pulvérisateur. Ce n'est que justice, tu es celui qui nous as réunis tous ensemble, après tout. Démon — il pivota vers Rennik —, ouvre la bouche. Grand.

Rennik résista pendant un moment, puis il hurla de douleur et ouvrit la bouche autant qu'il le put.

— Vas-y, dit Grimbowl à Vincent tout en lui adressant un sourire éclatant.

— Oui, vas-y, Vincent, encouragea ironiquement Chanteuse alors qu'elle arrivait en bas de l'escalier. Elle regardait Vincent avec mépris, certaine qu'il était sur le point de commettre un meurtre.

— C'est la volonté du Triumvirat que ces bêtes soient mises à mort, affirma Max, sentant l'hésitation de son frère. Rends Père et Mère fiers de toi. Tue-le.

Vincent baissa les yeux sur Rennik qui avait la bouche béante et qui tirait la langue aussi loin en arrière qu'il le pouvait. Ses dents avaient encore l'air mortellement effroyables ; si Vincent n'avait pas su avec certitude que le démon était impuissant, il ne se serait pas approché si près de lui.

Il ne s'agissait pas d'une bonne créature. Rennik l'avait trahi et seule la prévoyance d'Optar les avait sauvés de la mort dans les ruines de l'hôpital. Si Vincent épargnait le démon, il savait qu'il n'y aurait pas de remerciements. Pire, Rennik ferait tout ce qui était en son pouvoir pour les tuer tous, s'il demeurait vivant. Il représentait une menace, un danger très réel.

Mais ses yeux racontaient une histoire différente. Agrandis par la terreur, ils étaient ceux d'une créature qui ne demandait qu'à vivre.

— Allez, Vincent, l'incita Nod.

— Vas-y, fais-le, ajouta Clara.

— Mauviette, se moqua Barnaby.

Vincent resta là à contempler l'insecticide. C'était sa décision, qu'il tente ou non de commettre le meurtre d'une créature qu'il avait déjà essayé de tuer avec la laque. Cela aurait dû être simple, et presque tout le monde le pressait de le faire. Bien sûr, il était question de la pression des pairs, et s'abaisser à ce genre de chose n'avait jamais été le point faible de Vincent.

Il leva les yeux vers Chanteuse, vit son regard, puis il sut ce qu'il devait faire.

— Non, refusa Vincent. Non, je ne le ferai pas.

— Quoi ? croassa Grimbowl. Vincent, ce démon…

— Je ne suis pas un assassin, expliqua Vincent.

— Oh, ben, dis donc ! réagit Barnaby en s'avançant. Moi, je vais le faire.

— Tu ne feras rien, interdit Vincent. Aucun de vous ne fera rien. C'est mal.

— Vincent a raison, approuva Chanteuse, marchant à grands pas et se plaçant près de lui. Je suis fière de lui et j'ai honte de vous tous ! Cessez tout cela immédiatement.

— Mais Chanteuse, raisonna Grimbowl, nous devons tester le pulvérisateur.

— Non, réitéra Chanteuse. C'est mal.

— Non, ce n'est pas vrai ! contredit Optar.

— Pas si c'est fait au nom du Triumvirat ! ajouta Max. Tous les actes posés en son nom béni et saint sont bons et justes, et puisse le Triumvirat me terrasser s'il en est autrement.

À cet instant précis, une planche de deux par quatre traversa violemment la fenêtre du sous-sol et rata de peu la tête de Max.

— Qu'est-ce que…, se demanda Vincent, regardant fixement la planche de bois mortelle alors qu'elle s'enfonçait dans le mur du fond.

— Une tornade, indiqua le gros Tom, jetant un coup d'œil par la fenêtre brisée. Et elle s'en vient par ici.

— Tout le monde contre le mur! cria Mlle Sloam.

Tous se précipitèrent vers le mur et s'accroupirent près de lui, puis ils attendirent que la tornade passe. Mlle Sloam tint fermement sa fille contre elle, Max s'accrocha à Vincent et au gros Tom, les lutins et les elfes se mirent à plat ventre sur le plancher, et Barnaby se cacha sous le matelas.

La maison fut secouée. Violemment. Vincent se blottit plus près de son frère, espérant que l'épreuve serait bientôt terminée. Ce qui serait le cas dans quelques heures.

Il distingua Rennik de l'autre côté de la pièce, non loin des bombes d'insecticide. Le démon en prit une, la déchira pour l'ouvrir, puis il la projeta à travers la fenêtre ouverte. Vincent put voir distinctement le vent propulser les pulvérisateurs hors de la boîte, les soufflant au loin avec fracas.

Rennik était déjà rendu à la boîte suivante, et il restait très peu de boîtes. Et il ne fallut guère de temps pour que Vincent réalise ce que cela signifiait.

— Arrête! cria Vincent, bondissant sur ses pieds et chargeant vers le démon. Optar, fais-le arrêter.

— Démon! tonna l'aîné des elfes. Je t'ordonne de… Il n'acheva toutefois jamais sa phrase, car Rennik lui lança une boîte, le faisant tomber.

— Espèce de petit idiot! rugit Vincent, agrippant une bombe insecticide et la dirigeant vers Rennik. Je ne peux pas croire que je me sentais mal de te tuer auparavant.

— Qu'est-ce qui t'en empêche à présent, humain? demanda Rennik. Regarde les choses en face, tu ne pouvais pas me tuer à ce moment-là et tu es trop faible pour le faire maintenant. Et si tu ne peux pas le faire — il ramassa la dernière boîte —, tu ne peux pas m'arrêter.

— Je le peux! affirma Grimbowl, lui tenant tête à nouveau. Démon, je t'ordonne...

Et alors, la maison s'écroula. Littéralement. Elle se déchira directement de ses fondations et fut démolie, laissant le sous-sol exposé à la pluie, au vent et aux débris de la tornade massive qui se déchaînait à moins d'un coin de rue plus loin.

— Aaahh! crièrent Nod et Clara tandis que les vents les envoyaient voler.

— Non! cria à son tour Chanteuse, bondissant pour les retenir avec ses bras étendus et les manquant de peu.

— Hum! prononça Rennik, sautant pour les intercepter avec la gueule grande ouverte.

— Non! intervint Vincent alors que les deux lutins chutaient droit dans la gueule du démon. Nod et Clara levèrent vivement leurs bras et leurs jambes minuscules et luttèrent contre les mâchoires de Rennik, mais c'était manifestement un combat perdu d'avance.

Vincent se mit à l'action. Il avait déjà perdu Nod une fois et il n'était pas près de laisser les choses se répéter. Il enfonça la bombe insecticide dans la gueule du démon et pulvérisa un long coup.

L'effet fut instantané. La peau de Rennik pâlit, puis elle commença à fondre. Il se mit visiblement à vieillir, des rides et des plis se formant sur sa peau au moment même où elle se détachait de lui. Ses ailes se flétrirent pour ne devenir que des brindilles et elles se fermèrent d'un coup sec, puis il tomba sur le sol en produisant un «floc» mouillé. Clara et Nod ouvrirent sa bouche avec force et s'envolèrent, puis ils essuyèrent le produit mousseux sur leur corps.

— C'était un tir formidable, le jeune! félicita de vive voix Grimbowl. Nous savons maintenant que les trucs fonctionnent, pas vrai?

Vincent ne répondit pas. Il observait ce qui restait de Rennik, fondu en une flaque colorée, puis il se détourna de la scène, dégoûté.

— Tu devais le faire, le consola Chanteuse en prenant sa main. Tu as sauvé la vie des lutins.

— Je sais, reconnut Vincent en serrant sa main. Mais ne t'attends pas à ce que j'aime ça.

Pendant que Nod et Clara s'envolaient pour récupérer quelques pulvérisateurs salvateurs, les elfes, les humains et les trolls se tenaient assis en cercle et discutaient de stratégie.

— Nous n'avons toujours pas de moyen pour nous rendre là, constata Grimbowl. Il nous faudrait des jours pour marcher jusqu'aux sites du portail.

— Des jours que nous n'avons pas, rappela Vincent. Les lutins pourraient probablement transporter quelques-uns d'entre nous, mais pas tout le monde.

— Certains de tes voisins ont-ils des véhicules utilitaires sportifs ? s'informa Chanteuse au gros Tom, alors que tous les yeux la fixèrent avec incrédulité. Eh bien, oui, expliqua-t-elle, ils détruisent l'environnement et je les déteste, mais ils pourraient possiblement arriver à effectuer le voyage à travers la ville.

— Aucun de mes voisins n'en possède, mentionna tristement le gros Tom.

— Pauvre clochard, dit avec mépris Barnaby. Mon père en a un.

— Est-il ici ? demanda Vincent.

— Non, répondit Barnaby.

— Alors, la ferme, prononça Vincent. Nous voulons uniquement des suggestions utiles.

— J'ai bien peur que seuls les dieux puissent nous aider maintenant, indiqua Optar en soupirant.

Vincent regarda Max.

Et Max regarda Vincent.

— Les Dieux ! répéta Vincent. La protestation se tient aujourd'hui !

— Et c'est seulement à deux ou trois kilomètres d'ici, précisa Max.

— De quoi parlez-vous, tous les deux ? s'enquit Grimbowl.

— Des Dieux, révéla Vincent. En fait, on les appelle GOD. Les Global Outland Drivers. Ce sont les nouveaux véhicules utilitaires hors-piste de Regular Engines.

— Ils les dévoilent en première aujourd'hui, expliqua Max, lors des présentations de voitures spéciales, partout à travers le monde.

— Nos parents et leur église allaient mener une protestation de front, prononça Vincent. Ils croient que rien ni

personne ne devraient utiliser le nom de dieu ou « god »,
sauf pour Dieu.

— Et ils ont raison, affirma Max. Mais dans les circonstances, je pense que le Triumvirat voudrait que nous les
utilisions.

— Ouais ? réagit Barnaby. Sont-ils ici ?

— Non, dit Vincent.

— Alors, pourquoi ne te la fermes-tu pas ? demanda
Barnaby avec suffisance.

— Ils se trouvent au centre commercial South Gates,
répliqua Vincent.

— Ce n'est pas loin d'ici, indiqua Chanteuse.

— Exactement, confirma Vincent avec suffisance à son
tour.

— C'est un coup sans grand espoir de succès, évalua
Grimbowl. Avec le tremblement de terre et maintenant les
tornades, il est bien possible qu'il ne reste aucun de ces
GOD.

— C'est notre meilleur espoir, justifia Vincent.

— Et nous pourrions venir en aide à Mère et Père, fit
remarquer Max, et à quiconque s'était rendu à l'événement.

— Euh, le jeune ? interrogea Grimbowl. Avec tout ce qui
s'est passé à l'extérieur, crois-tu vraiment qu'ils iraient de
l'avant avec leur protestation ?

Max regarda Vincent.

Et Vincent regarda Max.

— Sans aucun doute, répondit Max.

— Ouais, acquiesça Vincent. Ces désastres naturels vont
seulement les encourager.

● ● ●

La marche vers le centre commercial South Gates fut
parsemée d'embûches, c'est le moins qu'on puisse dire. Les
tornades continuèrent de s'abattre sur la ville ; plusieurs fois,

ils durent rechercher des abris pour se protéger des débris qui pleuvaient.

— Gardez la tête basse, recommanda Mlle Sloam, repoussant l'affiche d'un établissement de restauration rapide à l'aide d'un réverbère tombé. Et demeurez à proximité des édifices. Nous ne voulons pas que quelqu'un soit aspiré par une tornade.

— Sauf peut-être Barnaby, suggéra le gros Tom, et Vincent se mit à rire silencieusement.

Heureusement, l'unique tornade dans la région immédiate se dirigeait loin d'eux, dans la direction sud-est. Vincent croisa les doigts et espéra que leur chance se poursuivrait.

Alors que la tornade s'éloignait et que le vent diminuait, le groupe entendit une voix au loin. Ils ne purent tout d'abord rien distinguer, mais comme ils s'approchaient du centre commercial, la voix devint reconnaissable.

— Vous devez vous ficher de moi, prononça Barnaby.

— ... et à ceux qui revendiqueraient la divinité simplement par le mérite de leurs freins à système antiblocage, de leur commande à quatre roues motrices et par le financement de 5,5 %, j'affirme : c'est un blasphème ! tonna la voix du père de Vincent qu'on ne pouvait pas ne pas reconnaître. À ceux qui nous tenteraient avec la climatisation, la servo-direction et un grand espace intérieur à condition que nous tombions à genoux et que nous les appelions des dieux...

— Venez, enjoignit Vincent, embarrassé mais déterminé. Allons nous joindre à la protestation.

Un coin de rue plus loin, ils arrivèrent au stationnement du centre commercial. Devant eux s'étalait le spectacle de la désolation la plus totale ; il était évident qu'une tornade était passée en plein milieu du centre commercial. Des articles de toutes sortes se voyaient éparpillés partout, du dernier vêtement à la mode au bibelot le moins dispendieux provenant d'un magasin à un dollar.

Et au sein du désordre ambiant — couverte par ce désordre d'une certaine façon — se trouvait la protestation. Elle était petite, rassemblant moins de cinq personnes dans l'audience. Il y en avait probablement eu davantage quand l'événement avait débuté, mais Vincent supposait que la majorité des participants avait perdu la foi lorsque le monde était tombé en ruine.

— Ne soyez pas découragés par l'évidence de la colère du Triumvirat, rassura M. Drear dans son porte-voix alors qu'il se plaçait sur un GOD renversé. Ils mettent notre détermination à l'épreuve, même s'ils cherchent à punir ceux qui conduiraient ces abominations.

Vincent voulut ramper dans un trou et mourir. Le gros Tom et Chanteuse le regardaient avec sympathie tandis que Barnaby riait tout haut. De son côté, Max rayonnait de fierté.

— Malgré tout le reste, Père lutte pour répandre la Parole, s'émerveilla-t-il.

— Ben, mon vieux, se moqua Barnaby. Cela explique tant de choses.

— Tu veux un autre coup de poing? lui demanda Vincent. Je ne pensais pas. Grimbowl, Max, venez avec moi. Les autres, trouvez-nous quelques GOD qui fonctionnent.

— Et qu'allons-nous faire? s'informa Grimbowl.

— La partie difficile, précisa Vincent. Convaincre mes parents de venir avec nous.

Vincent, Max et Grimbowl se dirigèrent vers les triumviraux. Vincent réfléchit très fort à ce qu'il allait dire. Après tout, un tremblement de terre et quelques tornades ne les avaient pas convaincus de faire leurs paquets et de s'en aller. Avec quel argument pourrait-il bien parvenir à les atteindre?

Alors qu'ils approchaient, M. Drear baissa les yeux et les vit. Son visage s'illumina dans un ravissement stupéfait et il sauta en bas du quatre roues motrices renversé et se précipita vers eux.

— Max! cria M. Drear, embrassant son aîné en le prenant dans ses bras. Max, mon fils, tu vas bien! Nous avions peur que tu aies été tué!

— Je vais bien, Père, le rassura Max en le serrant dans ses bras à son tour. Je suis content que vous soyez sains et saufs, vous aussi.

— Je vais bien, moi aussi, fit amèrement remarquer Vincent.

— Vincent! Max! s'écria Mme Drear, jetant son affiche par terre et leur faisant à tous les trois une accolade. Vincent la serra dans ses bras joyeusement, soulagé. Ses deux parents avaient survécu.

— Je déteste rompre ce moment touchant, intervint Grimbowl, mais le temps…

— Un démon! s'exclama M. Drear, repoussant sa femme et ses fils avant d'asséner un coup de pied à l'elfe.

— Papa, non! cria Vincent pendant que Grimbowl se baissait rapidement sous la jambe de M. Drear.

— Arrêtez cela, ordonna Grimbowl, décochant son propre coup de pied.

M. Drear hurla et saisit son tibia. Vincent fit la grimace; il savait combien cela faisait mal.

— Grimbowl, recule, dit-il. Et toi aussi, papa. Ce n'est pas un démon.

— Est-il un autre ange? questionna Mme Drear.

— Ne sois pas idiote, dit M. Drear. Il a asservi l'esprit de Vincent et maintenant, il cherche à asservir les nôtres!

— Ce n'est pas un démon, contredit Max.

— Oh? fit son père.

— Le Triumvirat m'a ouvert les yeux par rapport à sa nature véritable, indiqua Max, et il s'est avéré être un ami.

« C'est Vincent qui m'a présenté à eux, continua Max. En premier lieu, je pensais la même chose que toi, qu'il devait être une créature du mal. Puis, j'ai rencontré les vrais démons, et j'ai rejoint mon frère et les créatures comme celles-ci pour les combattre.»

Monsieur Drear baissa les yeux vers son autre fils, l'étonnement de retour sur son visage.

— Tout ce temps, s'informa-t-il, toi, Vincent, tu as combattu les démons?

— Ouais, confirma Vincent.

— Que le Triumvirat me pardonne, s'excusa son père. Je ne savais pas.

«Wow, songea Vincent. Je n'aurai jamais plus près d'une excuse que cela.»

— Nous devons y aller, prononça-t-il, prenant la main de son père.

— Mais la protestation…, balbutia M. Drear.

— Il y a une autre protestation à laquelle tu dois assister, informa Max. Vincent a découvert le repaire des démons. Nous devons partir là-bas avec nos amis et alliés pour affronter ces créatures malfaisantes et les détruire.

M. Drear secoua la tête. «Nous sommes en train de le perdre», pensa Vincent.

— C'est la protestation la plus importante au monde, révéla Vincent, et à ce moment précis, il eut une idée de génie. Et aucun des autres groupes religieux n'est au courant.

Les yeux de M. Drear s'agrandirent.

— Nous serions les premiers? demanda-t-il.

Vincent fit un signe de tête affirmatif.

M. Drear regarda Max, puis sa femme, puis Vincent. Puis Max de nouveau.

— Tu dois venir tout de suite, Père, l'enjoignit Max. Le temps file.

— Très bien, mon fils, accepta M. Drear. Je vous suis.

• • •

Vincent se sentait bien alors que lui et Max conduisaient leurs parents dans le stationnement le plus proche pour rejoindre les autres. Sa bonne humeur diminua, cependant, quand il réalisa l'état dans lequel se trouvaient les GOD. Certains avaient été écrasés par les débris, tandis que d'autres avaient été emportés par les tornades. Lorsqu'ils retrouvèrent les autres, les pires craintes de Vincent se confirmèrent.

— Ils sont tous foutus, constata Barnaby. Bon plan, espèce de raté.

— J'ai bien peur qu'il n'ait raison, dit Chanteuse comme elle arrivait à côté d'un GOD renversé. Ils sont tous…

— La sorcière! vociféra M. Drear. Que fait-elle ici?

«Oh non», songea Vincent, se maudissant pour n'avoir pas vu cela venir.

— Elle est très bien, Père, assura Max.

— Elle ne l'est certainement pas! cria M. Drear. Ces créatures, je peux les accepter — il fit un signe de la main en direction des elfes —, puisque vous les contrôlez manifestement…

— Hé! réagit Grimbowl.

— Comment osez-vous! s'offusqua Optar.

— … mais cette personne, poursuivit M. Drear, retournant son regard dédaigneux vers Chanteuse, est une abomination, et…

— Comment, rugit Mlle Sloam juste en arrière de lui, venez-vous d'appeler ma fille?

— Hum, dit M. Drear, levant les yeux vers le visage furieux de son interlocutrice.

— Laissez-moi mettre cela dans son nez, proposa Optar en sortant un insecte de sa poche. Nous allons voir qui contrôle qui!

— Arrêtez! tonna le gros Tom, de la voix la plus forte que Vincent l'eût jamais entendu utiliser. Écoutez, pouvez-vous entendre ça?

— Entendre quoi? questionna Barnaby, et alors, il les entendit. Alors, ils les entendirent tous.

— Des hélicoptères! indiqua M. Drear.

Et en effet, c'en était bel et bien. Trois hélicoptères apparurent à l'horizon et arrivèrent rapidement. Deux prirent position en l'air tandis que l'hélicoptère du milieu descendit lentement vers le stationnement.

— Nous sommes sauvés, se réjouit M. Drear.

— N'en sois pas si sûr, avertit Vincent. Le symbole d'Alphega se trouve sur le côté de ces hélicoptères.

— C'est mon père! réalisa Barnaby. Il est venu me chercher.

— Et le reste d'entre nous? demanda Mlle Sloam.

— Oh, je suis certain qu'ils vont vous secourir vous aussi, rassura Barnaby.

Mais Vincent n'en était pas si sûr.

— Optar? chuchota-t-il en se mettant à genoux. Il te reste des obyons?

— J'en ai en abondance, répondit l'elfe. Tu penses que nous en aurons besoin?

— Peut-être, annonça Vincent. Nod?

— Juste ici, dit le lutin presque invisible, atterrissant sur l'épaule de Vincent.

— Bien, prononça Vincent. Écoutez, voici le plan...

Quand Vincent se releva, l'hélicoptère avait atterri. M. Wilkins en descendit et se dirigea vers eux, accompagné de quatre soldats. Sur sa main droite, nota Vincent avec intérêt, il y avait un gant identique à ceux que portaient les gardes du corps robotiques de M. Edwards.

— Barnaby ! s'exclama M. Wilkins, prenant son fils dans ses bras. Tu as survécu. Mais en fait, je savais que tu réussirais. Nous, les Wilkins, nous sommes faits forts.

— C'est bien vrai, papa, reconnut Barnaby. Comment m'avez-vous trouvé ?

— Tu as un appareil d'autoguidage sur toi, révéla M. Wilkins. Je ne faisais pas confiance à mon patron Edwards pour te secourir lorsque les choses se mettraient à mal aller, alors, j'ai pris mes précautions. Je serais venu pour toi plus rapidement, mais les tornades rendaient le vol impossible.

— Donc, vous étiez au courant de ce qui s'en venait, conclut Chanteuse, mais vous n'avez averti personne, pas même votre fils.

— Qui sont ces gens ? demanda Wilkins, effectuant un geste avec sa main gantée. Je vois des elfes, un lutin et… est-ce un troll ?

— C'est sa mère, répondit Barnaby en désignant du doigt Chanteuse.

— Elle pourrait presque passer pour un humain, constata Wilkins. Quoique certainement pas pour une jolie femme.

— Comment osez-vous ! s'indigna Chanteuse, et Mlle Sloam fit un pas menaçant vers l'avant.

— Restez où vous êtes, dit Wilkins dangereusement. Il leva sa main gantée et ses soldats braquèrent leurs armes.

— Faites ce qu'il dit, conseilla Vincent. Ces gants font mal.

— Intelligent, ce garçon, apprécia Wilkins. Je me souviens de toi. Tu es celui qui voulait se lier d'amitié avec mon Barnaby. Dis-moi, mon fils, a-t-il passé le test ?

— Non, informa Barnaby avec un grand sourire malicieux. Et ses amis, ici, m'ont pris en otage.

— Ce n'est pas vrai ! s'exclama Max.

— Nous lui avons sauvé la vie, ajouta Grimbowl.

— Ça suffit! intervint M. Drear, se frayant un chemin vers l'avant du groupe. Nous sommes des triumviraux, monsieur, et nous poursuivons la mission de répandre la vérité sacrée. Nous avons besoin d'un moyen de transport et le Triumvirat vous a conduit, vous et vos hélicoptères, jusqu'à nous. Allez-vous nous donner le passage?

— Permettez-moi d'abord d'y réfléchir, indiqua Wilkins. Non.

— Non? répéta M. Drear. Mais vous avez été envoyés vers nous au moment où nous en avions besoin.

— Je suis venu ici pour récupérer mon fils, précisa Wilkins. C'est tout. Je ne peux trouver aucune raison valable pour laquelle je devrais transporter qui que ce soit parmi vous, où que ce soit. Peux-tu en trouver une, Barnaby?

— Non, répondit Barnaby. En fait, je pense que vous devriez les tuer.

— Vous n'avez qu'un mot à dire, monsieur, prononça l'un des quatre soldats.

— Non, ce ne sera pas nécessaire, déclina Wilkins. Nous allons les laisser ici afin qu'ils profitent du peu de temps qui leur reste avant que les volcans n'entrent en éruption.

— Des volcans? interrogea le gros Tom. Il va y avoir des volcans?

— Oh oui, confirma Wilkins. L'étape finale des surrections planétaires avant que les portails ne se ferment et que l'époque ne s'achève.

— Alors, le monde va se terminer avec des volcans, dit le gros Tom. Mon projet de la foire des sciences était exact. En quelque sorte.

— Vous allez peut-être survivre à la cendre et à la lave assez longtemps pour voir les démons arriver, continua Wilkins, mais j'en doute.

— Qu'est-ce qui vous fait croire que vous allez vous échapper? questionna Vincent. Vous pensez vraiment qu'Edwards va vous laisser traverser le portail?

Le sourire de M. Wilkins vacilla légèrement.

— Bien sûr qu'il va le faire! assura Barnaby, croisant les doigts et les agitant dans le visage de Vincent. Lui et mon père sont comme ça.

— Nous verrons, prononça Vincent, et au même instant, on lui tapota l'épaule. À présent, que diriez-vous de nous remettre ces hélicoptères et de vous rendre?

M. Wilkins cligna des yeux de surprise.

— Répète un peu, pour voir? défia Barnaby.

— Essaies-tu d'être comique? ajouta Wilkins.

— Non, répondit Vincent. Optar?

Le vieil elfe sage fit un pas vers l'avant, tenant un communicateur d'Alphega dans ses mains.

— Attention, tous les pilotes, clama-t-il dans l'appareil émetteur, vous êtes maintenant sous mon pouvoir. Atterrissez immédiatement ou il y aura de la douleur.

Les hélicoptères se déportèrent plus haut, leurs pilotes tentant de désobéir. Quelques moments plus tard, ils se firent une raison et firent atterrir les appareils comme on le leur avait ordonné.

— Que se passe-t-il? balbutia Wilkins, observant la scène avec incrédulité.

— Mon ami masqué, Nod, a placé des obyons dans le nez de vos pilotes, révéla Vincent, puis il a pris un communicateur à l'un de vos soldats.

Les quatre soldats vérifièrent leurs ceintures, et l'un d'eux leva les yeux honteusement.

— Ces hélicoptères, annonça Optar, sont dorénavant sous notre contrôle.

— Hein? croassa un Barnaby soudainement très inquiet.

— Un stratagème intéressant, reconnut Wilkins, mais inutile. Soldats, tuez-les.

Les quatre soldats visèrent, mais quand ils appuyèrent sur la gâchette, rien ne se produisit.

— J'ai également demandé à Nod de placer le cran de sécurité sur tous vos fusils, indiqua Vincent.

Clara, Nod et Mlle Sloam prirent cela comme le signal pour agir. Ils foncèrent sur les soldats, les poings en l'air. M. Wilkins et Barnaby regardèrent avec horreur leur troupe s'effondrer, puis ils se tournèrent et examinèrent Vincent et ses amis. Il y avait de la peur dans leurs yeux, et Vincent ne put s'empêcher d'aimer cela.

— Et maintenant, leur dit-il, à propos de ce tour en hélicoptère?

• • •

Les trois hélicoptères approchaient du siège de la société Alphega, laissant la ville en ruine derrière eux. Le premier hélicoptère transportait Chanteuse et sa mère, de même que Barnaby et son père. Optar avait suggéré de laisser les Wilkins derrière eux, mais Chanteuse n'aurait pas permis que des vies soient perdues.

Le deuxième appareil possédait à son bord les elfes et les quatre soldats captifs. Le troisième véhiculait Vincent, Max, leurs parents, le gros Tom et les deux lutins.

L'énorme édifice n'avait subi aucun dommage suite au tremblement de terre ou aux tornades; il semblait que les sites du portail étaient les seuls endroits sécuritaires sur Terre.

Le voyage dura quinze minutes, durant lesquelles Vincent et son frère s'efforcèrent de faire comprendre la situation à leurs parents. Mme Drear parut digérer l'information, mais pas M. Drear.

— Vous avez tous été dupés, énonça leur père pour la dixième fois. Les démons se promènent sur la Terre et manifestement, le temps des tribulations est commencé, mais il n'y a rien dans le texte du Triumvirat au sujet des sites du portail!

— Mais, Père, suggéra Max, ces sites du portail sont peut-être ce à quoi faisait référence le texte quand il affirmait que les fidèles se verraient amenés hors du monde.

— Le texte dit aussi qu'il y aura des doctrines de démons et de faux prophètes qui en dérouteront plusieurs, rétorqua M. Drear. Allons-nous croire la parole de ces démons…

— De ces lutins, corrigea Clara.

— Silence! l'interrompit M. Drear, relevant sa copie du texte. Vous avez protégé mes fils et je vous en suis reconnaissant, mais on ne parle pas de vous dans ce livre, de sorte que je ne peux pas vous faire confiance.

— Monsieur, intervint Nod, j'ai rencontré le type qui a écrit ce livre.

— Il a été écrit par Jésus, Moïse et Abraham, cria M. Drear. Et ils étaient inspirés par Dieu.

— Il a été rédigé il y a cinquante ans par un elfe, dévoila Nod, qui l'a placé dans un site archéologique de Jérusalem. Pour faire une blague.

— C'est une hérésie!

— C'est la vérité.

— Oh, ben dis donc, s'étonna le pilote.

— Restez en dehors de tout ça, ordonna Vincent en tapant l'arrière de son casque. Écoute, papa, si nous te montrons le portail, vas-tu au moins le prendre en considération à ce moment-là?

— Non, répondit son père. Et aucun membre de cette famille ne va traverser ce portail non plus. Dès que nous aurons vaincu les démons, nous allons fabriquer des pancartes pour garder les gens loin de cet endroit!

— Oh, ben mon vieux, prononça le pilote.

— Je vous ai dit de rester en dehors de tout ça, réitéra Vincent en tapant de nouveau son casque.

— Je ne parlais pas de vous, expliqua le pilote avec irritabilité. Regarde les autres hélicoptères. Ils se font attaquer.

— Ils se font attaquer ? répéta Vincent. Par quoi ? Qui les attaque ?

— Ils ont été envahis, annonça le pilote, par des démons.

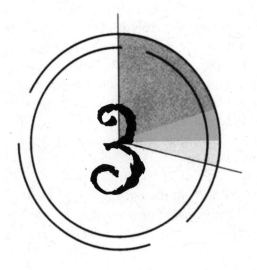

Vincent, le gros Tom et les autres regardèrent par les fenêtres de l'hélicoptère quand ils arrivèrent dans l'espace aérien d'Alphega. C'était vrai ; un des autres hélicoptères se faisait attaquer par les démons, et l'autre était déjà tombé. Il n'en restait qu'une épave en flammes sur le sol, entourée de démons qui la picoraient comme des vautours.

— Non…, se lamenta Vincent. Ses amis s'étaient trouvés dans cet hélicoptère.

L'autre appareil se déplaçait pour échapper aux démons qui se propulsaient eux-mêmes comme des missiles vers sa soute. Devant une telle attaque, il leur était impossible d'atterrir de façon sécuritaire. En fait, leur destruction par les flammes apparaissait comme une certitude.

— Que font-ils? demanda le gros Tom. Je pensais que les démons étaient de leur côté.

— C'est une frénésie d'alimentation, lui répondit Clara. Ils doivent avoir appris que des créatures post-époques étaient à bord. Et avec la transformation de l'époque si imminente, ils doivent ressentir une faim terrible.

Il y eut une explosion bruyante à ce moment précis, puis d'autres à répétition. L'hélicoptère s'était mis à envoyer des missiles aux démons, mais les armes manquèrent leurs cibles et allèrent plutôt frapper l'édifice.

— Oh, ce n'est pas une bonne chose, prononça le pilote.

— Il est temps de s'occuper du problème des démons, décida Nod en enlevant sa poche de tablier.

— Ne fais pas ça! dit Vincent. Les démons vont pouvoir te goûter.

— Exactement, reconnut Nod. Certains d'entre eux viendront pour moi au lieu de l'autre hélicoptère, et je serai prêt pour eux. Tu viens, Clara? ajouta-t-il, saisissant une bombe insecticide. La bouteille était plus grosse que lui; il devait passer un bras autour d'elle et l'appuyer contre sa poitrine, puis atteindre le gicleur avec son autre main.

— Je suis juste derrière toi, indiqua-t-elle, prenant un autre pulvérisateur d'insecticide. Laissez-nous sortir!

Vincent ouvrit la porte sur le côté, puis les deux lutins s'envolèrent et s'éloignèrent. Ce qui s'avéra également une fort bonne chose, puisque certains des démons montaient en flèche vers eux, réagissant sans doute à la présence de Nod. Les lutins les interceptèrent, appuyant très fort sur le pulvérisateur et repartant ensuite à toute allure pour échapper aux gueules mortelles.

Leur première attaque eut peu d'effet. Ils se trouvaient encore trop proches des hélicoptères et les pales du rotor interféraient avec le pulvérisateur. Un démon en reçut sur les pattes et un autre sur son menton, mais pas suffisamment pour leur faire un tort sérieux. Nod et Clara les conduisirent loin de l'hélicoptère, puis ils se retournèrent et arrosèrent leurs poursuivants. Cette fois, l'insecticide atteignit sa cible et quatre démons chutèrent du ciel.

Tout comme l'autre hélicoptère. Alors que Vincent et le gros Tom regardaient avec impuissance, l'hélicoptère fumant s'effondra tout droit vers l'édifice déjà endommagé. Des employés, qui avaient été évacués, couraient en hurlant dans toutes les directions pour éviter l'accident à venir.

À la dernière seconde, Mlle Sloam sauta de l'hélicoptère par le côté, transportant Chanteuse, Barnaby et M. Wilkins dans ses bras. Elle atterrit sur ses jambes puissantes et courut pendant qu'au-dessus d'elle, l'hélicoptère se fracassait et explosait.

— Oh non, dit Mme Drear en haletant. Toutes ces personnes…

Dans un immense grondement et un nuage de poussière produisant de nombreuses volutes, la moitié nord du siège social de la société Alphega s'écroula. Il s'agissait d'une vision épouvantable, terrifiante, et pourtant, même à travers le nuage de poussière, Vincent pouvait discerner une lueur d'espoir.

— Le portail! cria-t-il, montrant du doigt la lueur brillante qui flamboyait à travers le brouillard de fumée.

— Wow! s'exclama le gros Tom.

— C'est magnifique, s'émerveilla Mme Drear. Gerald, peux-tu voir cela?

— Je le vois, confirma M. Drear. C'est un portail, d'accord… vers l'enfer!

— Oh, ben dis donc! prononça le pilote.

— La ferme, ordonna Vincent, frappant son casque une fois de plus. Faites-nous descendre. Nous ne pouvons pas aider nos amis de là-haut.

— Tu plaisantes ? questionna le pilote. Je ne vais pas descendre à cet endroit ! C'est dangereux.

Vincent se demanda pourquoi le pilote pouvait désobéir, puisqu'il avait encore un obyon dans le nez. Il se rappela ensuite que les obyons réagissaient seulement aux elfes, et il n'y en avait aucun à bord.

— Vous allez faire ce que mon frère vous demande, enjoignit Max, heurtant le casque du pilote avec ses jointures.

— Non, je ne le ferai pas, objecta le pilote. Et cessez de me frapper. Nous pourrions nous écraser.

— Nous allons nous écraser de toute façon quand ces démons nous rejoindront, fit remarquer Vincent. Sur le sol, vous aurez au moins une chance de combattre.

— C'est un bon point, admit le pilote. Nous descendons.

L'hélicoptère toucha le sol sans incident. Les démons, semblait-il, étaient occupés ailleurs. Vincent nota qu'il paraissait n'y avoir que deux groupes de ces derniers à présent, chacun pourchassant quelque chose.

— Ils se sont lancés à la poursuite des lutins, annonça le gros Tom alors qu'ils sautaient hors de l'hélicoptère.

— Ils doivent en avoir fini avec les elfes, conclut tristement Vincent. Puis, il eut une pensée horrible. Il regarda désespérément autour de lui, puis il se détendit quand il aperçut Chanteuse et sa mère qui n'étaient pas très loin. Les démons n'avaient manifestement pas réalisé la vérité au sujet de Mme Sloam.

— Venez, dit Vincent, saisissant deux bombes insecticides. Allons aider Nod et Clara.

Vincent courut vers l'édifice en ruine, agitant les bras en l'air. Le gros Tom courait derrière lui, ne sachant pas ce que Vincent s'apprêtait à faire, mais copiant ses gestes malgré tout.

— Pourquoi faisons-nous cela ? s'informa le gros Tom auprès de Vincent alors qu'il le rattrapait.

— Pour attirer l'attention des lutins, répondit Vincent. Nous voulons qu'ils volent au-dessus de nous.

— Oh, fit le gros Tom. Pourquoi ?

— Je vais te le montrer, indiqua Vincent en préparant ses deux pulvérisateurs.

— Oh, j'ai pigé ! constata le gros Tom, levant ses propres pulvérisateurs. Nous sommes un piège !

— Les voilà, annonça Vincent tandis que Clara volait devant eux. Feu !

Vincent et le gros Tom pulvérisèrent leur brume mortelle et nocive pour la couche d'ozone au moment où les démons arrivaient à toute allure. Deux d'entre eux en eurent plein la gueule, deux en reçurent sur leurs bras et leurs ailes, tandis qu'un autre aperçut à temps la brume insecticide et s'envola par-dessus elle. Le dernier se baissa rapidement en dessous de l'insecticide, percutant Vincent en plein dans la poitrine.

La dernière chose à laquelle Vincent songea avant de s'évanouir fut : «Pas encore...»

• • •

Vincent se leva dans une cuve de colle, essayant de se rendre à la ligne d'arrivée de la piste suspendue au loin. Il lutta et se souleva, puis tira ses jambes, mais il ne réussit pas.

— D'accord, dois-je prononcer une formule magique pour celui-ci à ta place ?

Vincent regarda autour de lui et vit un elfe qui lui était familier et qui planait au-dessus de la colle près de lui.

— Grimbowl ! cria-t-il. Tu es vivant !

— Non, contredit tristement Grimbowl. J'ai bien peur que je fais mon ultime expérience hors de mon corps, le jeune. Les démons m'ont finalement eu, tout comme ils ont eu le reste d'entre nous.

— Non, dit Vincent. Tous les elfes… Grimbowl, je suis tellement désolé.

— Ce n'était pas si pire, relativisa Grimbowl en prenant la main de Vincent. Les autres sont partis vers le grand village de l'arbre dans le ciel, mais je suis demeuré ici en espérant que quelqu'un serait inconscient. J'aurais bien dû deviner que ce serait toi.

— Hé !

— Le temps file, le jeune, continua Grimbowl, tirant la main de Vincent. Sortons de ce rêve pour que je puisse te montrer comment sauver le monde.

Vincent eut de la difficulté à accepter que son ami devant lui soit mort. Il s'agrippa fortement à la main astrale de l'elfe, craignant que s'il la relâchait, son ami disparaîtrait pour l'éternité.

— Chasse cette tristesse de ton visage, enjoignit Grimbowl en le tirant d'un coup sec hors du rêve. Les émotions fortes vont te ramener à ton corps, tu t'en souviens ? Et j'ai besoin de toi ici.

— Je sais, fit Vincent alors qu'ils planaient au-dessus de son corps endormi, que le gros Tom tentait de réveiller. C'est juste que…

— Tu me pleureras plus tard, conseilla Grimbowl. Tu sais que ces cellules magiques empêchent tout le monde sur Terre de détecter les sites du portail ? Rennik nous a dit comment les désactiver.

— Comment ? demanda Vincent.

— Des cellules aussi puissantes peuvent uniquement être créées par une énorme source de magie, indiqua Grimbowl. Dans mon temps, des créatures auraient pu l'avoir fait par elles-mêmes, mais qui sait comment elles le font à présent.

— Faire quoi ? l'encouragea Vincent.

— Tu dois détruire la source d'énergie, dévoila Grimbowl. Mais ça ne suffit pas. En premier lieu, tu dois faire voler ta forme astrale à travers la source d'énergie et toucher le portail. Quand tu auras détruit la source d'énergie, le sortilège sera inversé et l'appel sera lancé, plus fort que jamais. Tu piges?

— Voler à travers la source d'énergie, toucher le portail, puis faire exploser la source, répéta Vincent. Je pige. Hé! Tu es dans une forme astrale. Pourquoi ne peux-tu…?

— Je n'ai plus de cordon d'argent, expliqua Grimbowl. Mon corps est parti, tu t'en souviens? Ton cordon d'argent est ce qui va relier le portail à la source d'énergie. Désolé, j'aurais dû préciser cela plus tôt.

— Bien, excellent, prononça Vincent.

— Autre chose, ajouta Grimbowl, puis il plana à côté de la forme astrale de Vincent et chuchota quelque chose à son oreille.

— Tu as fait quoi? s'étonna Vincent.

— Dis-le-lui plus tard, demanda Grimbowl. Et dis-lui que je suis désolé.

— D'accord, agréa Vincent. Je suis prêt.

— Bon, fit Grimbowl. Maintenant, tout ce que tu dois faire, c'est de rester dans ta forme astrale jusqu'à ce que tu découvres la source d'énergie. Elle doit être près d'ici, quelque part…

— Oh, oh, réagit Vincent.

Chanteuse et sa mère avançaient vers son corps, accompagnées de Barnaby et de son père. Marchant derrière eux se trouvait nul autre que M. Edwards, suivi de ses deux gardes du corps robotiques, et ils n'avaient pas l'air heureux.

— Francis Wilkins! aboya M. Edwards. Je comprends que vous avez utilisé trois hélicoptères de la compagnie sans ma permission, et amené une multitude de personnes ici en allant à l'encontre des instructions que je vous avais expressément données. Expliquez-vous.

— Je suis allé secourir mon fils, se justifia Wilkins auprès de son patron. Il était en danger.

— Je vois, constata Edwards. Et ces gens ?

— Ils nous ont kidnappés ! cria Barnaby, désignant du doigt Mlle Sloam. Elle est un troll, vous savez.

— Barnaby ! s'offusqua Chanteuse.

— Oh, ça s'annonce mal, réalisa Vincent.

— En est-elle un ? s'enquit Edwards.

— Certainement, confirma Barnaby, et elle complote pour détruire les cellules magiques !

Vincent sentit la rage bouillir en lui. Barnaby les avait trahis — de nouveau — malgré tout ce qu'ils avaient fait pour lui.

— Calme-toi, Vincent, lui dit Grimbowl. Nous devons encore trouver cette source d'énergie.

— Je vois, fit Edwards, ramenant son attention vers M. Wilkins. Vous et votre fils avez non seulement emmené des êtres post-époques ici, mais également les personnes qui me menacent le plus. Alors qu'il parlait, il pivota et jeta un coup d'œil au corps de Vincent. Dis-moi, Francis, y a-t-il une raison pour laquelle je ne devrais pas simplement vous laisser tous les deux avec le reste des membres de votre espèce ?

Les visages de Barnaby et de son père devinrent des masques de terreur, mais le visage astral de Vincent s'éclaira d'une révélation soudaine. M. Edwards parlait toujours des humains comme s'il n'était pas l'un d'eux. Cela signifiait qu'il était probablement autre chose. Les commentaires de Max sur le livre de *Prisons et Esprits frappeurs* lui revinrent, et Vincent sut tout d'un coup ce qu'était cette autre chose.

— J'ai découvert la source d'énergie, indiqua-t-il à Grimbowl.

— Génial, félicita l'esprit de l'elfe. À quel endroit ?

Avant que Vincent n'ait pu répondre, il vit Edwards faire un signe de tête à ses gardes du corps. Les robots réagirent en levant leurs gants et en visant Barnaby et son père.

— En revanche, vous avez été utiles pour moi dans le passé, poursuivit Edwards, de sorte que je vous ferai subir à tous les deux une mort bien plus charitable.

Barnaby et son père pivotèrent pour s'enfuir, mais il était trop tard. Horrifié, Vincent détourna les yeux, mais ce qu'il aperçut alors fut tout aussi effrayant. Les démons, dirigés par Bix, s'en venaient pour Mlle Sloam.

— Ils vont tuer la mère de Chanteuse! hurla Vincent, figé par un effroi glacial.

— Vincent, contrôle-toi! conseilla Grimbowl. Tu dois…

Mais c'était trop tard. L'âme de Vincent fut ramenée d'un coup sec à son corps et il se réveilla en gémissant de douleur.

— Oh non, cria-t-il, tenant fermement sa poitrine. Et maintenant, que faisons-nous?

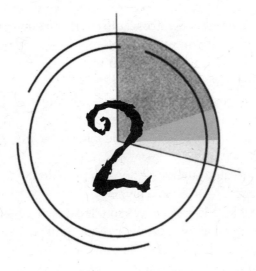

Vincent observa avec impuissance les démons se rassembler autour de Mlle Sloam. Il essaya de se lever mais n'en fut pas capable, la douleur dans sa poitrine étant trop grande. Le gros Tom ne pouvait pas l'aider — il s'était précipité dans la bataille, pulvérisant l'insecticide à pleins jets. Vincent n'avait jamais été aussi fier de son ami.

Ce n'était pas suffisant, cependant. Les efforts du gros Tom gardaient les démons à distance, mais les bombes insecticides allaient finir par se vider. Même si Vincent se joignait aux efforts du gros Tom avec ses deux pulvérisateurs, ils ne pourraient probablement pas encore les tuer tous. Et s'il restait ne serait-ce qu'un seul démon, Mlle Sloam et les deux lutins seraient morts.

Vincent possédait un avantage, toutefois — il savait ce qu'était la source d'énergie. Cependant, il ne pouvait pas projeter son âme à l'extérieur de son corps afin de faire ce qui devait être fait.

Mais il restait une personne qui pouvait le faire.

— Vincent, est-ce que ça va ?

Vincent leva la tête et vit son frère courir vers lui. Leurs parents se trouvaient juste en arrière, transportant deux ou trois affiches qu'ils avaient réussi à rafistoler à partir des articles qu'ils avaient dénichés dans l'hélicoptère.

— Aide-moi à me relever, prononça-t-il d'une voix sifflante, et Max prit ses bras et le tira pour le remettre sur pied.

— Venez, les garçons, ordonna M. Drear en se mettant à genoux. Nous allons prier pour recevoir la force, puis nous avancerons et mettrons fin à cette hérésie du portail.

— Max, dit Vincent en saisissant le bras de son frère avant qu'il ne puisse s'agenouiller. J'ai besoin de toi pour aider le gros Tom. Et j'ai besoin de Chanteuse. Elle est la seule qui puisse sauver le monde.

— Quoi ? s'exclama Max.

— Quoi ? tonna M. Drear, se remettant sur pied en une fraction de seconde. La sorcière ? Non ! C'est la voie du mal !

— J'ai besoin d'elle, répéta Vincent à Max, serrant fortement le bras de son frère. S'il te plaît, tout dépend d'elle.

— Non ! s'objecta M. Drear, prenant l'autre bras de Max. Je l'interdis ! Le Triumvirat l'interdit !

Max regarda successivement son père et Vincent. Celui-ci relâcha son bras, se baissa en pliant les jambes, puis s'empara des deux bouteilles d'insecticide restantes. Il grimaça en se redressant, mais il ne laissa pas la douleur l'arrêter.

— Je t'en prie, implora-t-il, tendant les pulvérisateurs.

— Père, expliqua Max, il y a plus de choses qui existent dans le monde que ce qui est écrit dans n'importe quel livre. S'il te plaît, lâche-moi.

M. Drear parut horrifié au-delà de toute expression, envisageant sans doute la perte de l'âme de ses deux fils pour l'attrait de l'occulte. Vincent comprit cela et il savait qu'ils n'avaient pas le temps de tout lui expliquer. Il leva une bombe insecticide et aspergea son père en plein visage.

— Aiiie, cria M. Drear, relâchant aussitôt Max et couvrant ses yeux.

— Vincent! s'indigna Max. Honore ton père et ta mère!

— Je les honorerai plus tard, assura Vincent en lui tendant les bombes insecticides. Allons-y. Maintenant.

Max se précipita vers la bataille, où six démons se démenaient autour d'une Mlle Sloam écorchée et meurtrie. Les deux lutins avaient rejoint le combat, faisant ce qu'ils pouvaient et se précipitant ensuite derrière le gros Tom pour se couvrir. Et observant tout cela, M. Edwards se tenait là, ayant l'air d'apprécier grandement la bagarre.

— Aujourd'hui, tu as trahi le Triumvirat, sermonna M. Drear, dont les yeux étaient douloureusement injectés de sang. Et tu as damné ton frère. En ce jour même, celui du Jugement! Il haussa la main et tenta de gifler le visage de Vincent, mais Mme Drear attrapa son poignet.

— Gerald, non, intervint-elle. Tu sais que le Triumvirat agit de façon mystérieuse. C'est peut-être la manière dont les choses doivent se passer. Nos garçons ont peut-être raison.

— Tu me trahis également? s'étonna M. Drear. Alors, je n'ai pas de famille. Je n'ai pas de fils, pas d'épouse. Mais j'ai encore le Triumvirat. Il retira brusquement sa main de celle de Mme Drear, puis il se tourna et partit en fulminant.

— Papa, s'il te plaît, reste, l'appela Vincent. Au loin, il vit la lave jaillir dans le ciel à partir de volcans fraîchement formés, et son père marchait vers eux.

— Laissez-le partir, enjoignit sa mère, essuyant une larme. Le Triumvirat nous donne le libre arbitre. Il a fait son choix, comme nous tous l'avons fait, et nous devons le respecter.

Vincent aurait dit qu'il était d'accord s'il n'avait pas été distrait par les cris qui provenaient par en arrière. Il pivota et distingua Max qui entraînait vers eux une Chanteuse très en colère.

— Lâche-moi! rugit-elle. Je n'abandonnerai pas ma mère!

Vincent regarda par-dessus leurs épaules et aperçut Mlle Sloam qui se battait avec les bombes insecticides de Max. Le nombre de démons avait été réduit à cinq, et deux d'entre eux semblaient très malades.

— Mon frère dit que ta présence est nécessaire, clama Max. Tu dois venir!

— Chanteuse, prononça Vincent en marchant vers elle. Tu dois nous aider. Il n'y a que toi qui puisses faire cela.

— Faire quoi? demanda-t-elle hargneusement, se débattant toujours entre les bras de Max.

— Une projection astrale, expliqua Vincent, puis il lui dévoila brusquement ce qu'il avait besoin qu'elle fasse. Chanteuse écouta, puis refusa immédiatement.

— Vincent, je te l'ai dit, lança-t-elle. Je ne peux pas faire ça. Quelqu'un pour qui j'ai de l'affection va mourir.

— Non, ça n'arrivera pas, rassura Vincent. L'être que tu as vu? C'était Grimbowl. Il me l'a révélé. Il t'a dit de ne pas te projeter parce qu'il ne voulait pas que tu sois au courant des choses minables que les elfes s'apprêtaient à faire.

— Grimbowl a fait ça ? se fâcha Chanteuse. Ce sale petit connard !

— Il a dit qu'il est vraiment désolé, continua Vincent, et il a espéré que dans ton cœur, tu parviendrais à lui pardonner.

— Je… eh bien, cela se produira plus tard, indiqua Chanteuse en se couchant. Très bien, Vincent. Je ferai ce que tu as demandé.

— Merci, dit Vincent. Maman, surveille-la, s'il te plaît, et garde-la en sécurité. Max, aide-moi à me rendre jusqu'à M. Edwards. J'ai quelque chose à lui dire.

Il leur fallut une minute pour se rendre jusqu'au champ de bataille. Durant ce temps, un autre démon tomba au combat, et les quatre qui restaient paraissaient plutôt malades. Ils se montraient plus prudents, à présent, planant seulement hors de la portée de l'insecticide et cherchant une ouverture pour attaquer. Bix était l'un d'eux, ce qui fit plaisir à Vincent. Avoir dans les parages un démon dont il connaissait le nom se révélerait commode.

— Monsieur Edwards ! appela-t-il, et la moitié d'homme ainsi que ses gardes du corps robotiques se tournèrent pour le regarder. Monsieur Edwards, je veux vous parler.

— Que veux-tu ? questionna Edwards. Ses gardes du corps avaient levé leurs gants et il ne les découragea pas.

— Je voulais uniquement savoir comment vous vous sentez, interrogea Vincent, par rapport à nous qui pulvérisons de l'insecticide dans l'air. Vous savez, une dernière chance pour nous, les humains, de polluer avant la toute fin.

— En effet, confirma M. Edwards. Vous, les humains, ne méritez pas le monde merveilleux que l'on vous a donné.

— Les humains sont répugnants, n'est-ce pas ? demanda Vincent.

— Vous l'êtes certainement !

— Tout comme vous, affirma Vincent.

— Je ne le suis assurément pas! hurla M. Edwards. Ma race a toujours été la plus propre... Il s'interrompit, réalisant ce qu'il avait dit.

— Hein? réagit Bix, se tournant pour écouter.

— C'est vrai, Bix, annonça Vincent, visant juste. Il est un centaure. N'est-ce pas, monsieur Edwards?

— Je... je ne le suis point! nia M. Edwards, ses jambes mécaniques effectuant un pas vers l'arrière. Ses gardes prirent sur-le-champ position en face de lui et réorientèrent leurs gants vers Bix.

— Vous avez peut-être perdu votre moitié de cheval, poursuivit Vincent, mais ça ne change pas ce que vous êtes. Vous êtes la seule créature avec suffisamment d'énergie magique pour activer les cellules.

— Vous savez, dit Bix en s'approchant, il y avait une histoire au sujet d'un centaure qui s'était échappé.

— Ouais, confirma un autre démon, rejoignant Bix. Toute la partie inférieure de son corps a été dévorée, mais il s'est enfui dans une caverne ou quelque chose du genre.

— Arrêtez-les! cria M. Edwards. Gardez-les loin de moi.

Les gardes du corps lancèrent leurs éclairs de feu, assommant les démons mais ne les stoppant pas. Bix se jeta sous leur système de protection et mordit en plein dans la poitrine d'un garde du corps. Celui-ci s'effondra sur le sol, des étincelles jaillissant de sa blessure. Le deuxième cerbère tomba presque aussi vite, mais en beaucoup plus petits morceaux.

— Reculez, vous tous, ordonna M. Edwards. Il accomplit de grands gestes de la main en direction de Vincent et de Max, puis une force pareille au vent les frappa tous les deux. Ne vous approchez pas! Ou je vous... Aaaah!

Vincent supposa, correctement, que l'esprit de Chanteuse venait de passer à travers lui. Un moment fort bien choisi, s'il en fut jamais un. Les démons tirèrent avantage de la distraction de M. Edwards et foncèrent sur lui, et un instant plus tard, la seule chose qui restait du fondateur de la société Alphega était ses jambes mécaniques.

— Bon sang, prononça Vincent. C'était…

Et alors, il lui fut impossible de parler. Lui et tous les autres humains sur la planète ressentirent une compulsion puissante, un désir presque accablant de se rendre à un site du portail. Vincent sentit l'influence qui provenait directement du portail et il aurait su qu'il se trouvait là sans regarder, sans même savoir ce que c'était.

— Nous avons réussi, se réjouit-il dit, pivotant vers Max. Nous… non !

Les quatre démons qui restaient s'étaient tournés et ils fixaient avidement du regard Mlle Sloam et les lutins. Nod, Clara et Mlle Sloam ne les avaient pas vus, ni le gros Tom, si envoûtés qu'ils étaient par l'appel du portail. Et il y avait un bruit de roulement…

Vincent baissa les yeux. Les bombes insecticides du gros Tom avaient chuté de ses doigts mous et elles roulaient vers lui.

Vincent courut, saisissant la main de Max et l'attirant vers lui. Les démons chargèrent, leurs gueules grandes ouvertes. Vincent ignora sa douleur et prit les insecticides, cassant net les gicleurs alors qu'il s'exécutait. L'insecticide se répandit des sommets des bouteilles tandis que Vincent en donnait une à Max et agitait l'autre. Max saisit l'idée et remua la sienne.

Le premier démon heurta Mlle Sloam sur l'épaule. Le deuxième frappa sa tête. Elle pivota et aperçut les démons presque sur elle. Cependant, l'insecticide dans l'air fit s'arrêter les démons et les étouffa. Mlle Sloam leva ses deux bombes et les vida dans la gueule des démons.

— C'était serré, fit remarquer Max, observant les démons tandis qu'ils se desséchaient et fondaient sur le sol.

— Trop serré, acquiesça Vincent. Eh bien, on y va ? Le monde est sur le point de se terminer.

Dans le monde entier, les gens reçurent le message. Les créa-tures humaines aussi bien que celles post-époques abandon-nèrent ce qu'elles étaient en train de faire et partirent vers le site du portail le plus proche. Certaines furent assez chan-ceuses pour se situer à proximité, de sorte que leur périple fut court. D'autres avaient un plus long chemin à parcourir et leurs chances de l'atteindre à temps étaient minces.

Que quiconque eût une chance constituait déjà un miracle en soi. Les actions de quelques humains, deux lutins, neuf elfes et un troll courageux avaient fait toute la différence.

Quatre de ces humains, un des lutins et le troll se trouvaient à proximité de l'entrée du portail, observant les gens qui arrivaient par douzaines. Vincent regardait distraitement le flux continu de personnes qui le traversaient, perdu dans ses pensées.

— Quelle sera la prochaine race, selon toi ? demanda Vincent à Chanteuse, laquelle se tenait près de lui et à côté de sa mère, Mlle Sloam. Les cafards ? Ou les dauphins, peut-être ?

— Je parie que ce seront les dauphins, prédit Nod, s'avachissant sur l'épaule de Mlle Sloam. Je gage qu'à la seconde où nous disparaîtrons, l'un d'eux évoluera pour développer des pouces opposables.

— Je prétends que ce seront les cafards, affirma Mlle Sloam. Ils connaissent la façon de survivre à n'importe quoi.

— C'est ce que le gros Tom aurait dit, leur indiqua Vincent.

Le gros Tom avait déjà traversé le portail. Une demi-heure plus tôt, il avait retrouvé ses parents. Il semblait qu'ils avaient eu des problèmes avec leur voiture quand le tremblement de terre avait frappé et ils n'avaient pu retourner chez eux. Vincent avait esquissé un large sourire lorsque le gros Tom leur avait appris ce qui s'était passé et la manière dont leurs bombes insecticides les avaient tous sauvés.

— Ce sera peut-être une créature dont nous ne savons rien, suggéra Chanteuse. Qui sait ce que notre mère la Terre va créer ?

Ils méditèrent cette hypothèse en silence pendant quelques minutes.

— Je suis de l'avis de Nod, décida Vincent. Les dauphins.

— Nous devrions y aller, conseilla Max. Il ne nous reste probablement pas beaucoup de temps.

— Accordez seulement quelques minutes de plus à Clara, demanda Vincent.

— N'ayez pas peur, ajouta Nod. Elle n'échoue jamais.

Comme si elle avait été convoquée par son nom, Clara apparut au-dessus des têtes de la foule. Vincent ne put la voir immédiatement, mais il put clairement apercevoir celui qu'elle transportait.

— Laissez-moi descendre! criait le père de Vincent, agitant les bras et les jambes de façon impuissante. Au nom du Triumvirat, je vous ordonne de me relâcher sur-le-champ!

— Il n'a pas été difficile à trouver, expliqua Clara. Il était le seul à se diriger dans la mauvaise direction.

— Je pensais que nous nous étions entendus et que nous avions décidé qu'il avait fait son choix, nota la mère de Vincent, même si elle paraissait davantage soulagée que critique.

— Il l'a fait, répondit Vincent, tendant le bras pour que son frère l'aide à se redresser. Et j'ai fait le mien. Mais pour cette fois uniquement, laissez-moi imposer mes croyances sur lui.

M. Drear continua de se disputer et de se débattre tandis que Clara le transportait dans le portail. Chanteuse et sa mère se mirent debout et s'y rendirent par la suite, suivies de Mme Drear.

— Allons-y, prononça Vincent. Les parties de sa poitrine qui ne lui faisaient pas mal se gonflèrent d'excitation. Puis, sentant que quelque chose devait être dit pour souligner l'occasion historique, il se tourna et regarda de nouveau la planète qu'il avait appelée sa maison.

— Merci, dit-il. Cela a été amusant.

Puis, Max et lui passèrent à travers le portail pour se retrouver dans le mystérieux au-delà.

• • •

Deux heures plus tard, les sites du portail se fermèrent. Ceux qui ne s'y étaient pas rendus ressentirent un puissant sentiment de défaite.

Quelques minutes après cela, quelques nouveaux portails s'ouvrirent dans le ciel. De ces portails, des démons surgirent par milliers. Les gens coururent. Certains essayèrent de se cacher. Mais ils savaient tous une chose avec certitude.

C'était terminé pour eux. C'était bel et bien…

La fin du monde.

Au sujet de l'auteur

Timothy Carter est né en Angleterre durant la semaine de la dernière mission lunaire et il a eu treize ans un vendredi 13. Il a grandi dans la région de la capitale nationale du Canada et a étudié l'art dramatique à l'Algonquin College.

Son premier roman, *L'attaque des chasseurs d'âmes intergalactiques*, a été publié en version originale anglaise en 2005. Timothy vit, écrit et surveille les signes annonciateurs de l'apocalypse, à Toronto, avec sa femme et son chat.

Du même auteur

Pour obtenir une copie de notre catalogue :

Éditions AdA Inc.

1385, boul. Lionel-Boulet, Varennes, Québec, J3X 1P7
Téléphone : (450) 929-0296, Télécopieur : (450) 929-0220
info@ada-inc.com
www.ada-inc.com

Pour l'Europe :

France : D.G. Diffusion Tél.: 05.61.00.09.99
Belgique : D.G. Diffusion Tél.: 05.61.00.09.99
Suisse : Transat Tél.: 23.42.77.40

éditions

www.AdA-inc.com
info@AdA-inc.com

L'impression de cet ouvrage a permis
de sauvegarder l'équivalent de 15 arbres.